LA CAUTIVA

EL MATADERO

Esteban Echeverría

Estudio preliminar y notas de
Íber H. Verdugo

KAPELUSZ

Coordinador de edición:
Prof. Jorge Darrigrán

Tapa:
José Angel Escada

© KAPELUSZ editora s.a.,
Buenos Aires, Argentina.

ISBN 950-13-2155-X

LIBRO DE EDICIÓN ARGENTINA.
Printed in Argentina.

ÍNDICE

LA CAUTIVA

EL MATADERO

RESUMEN CRONOLÓGICO DE LA VIDA Y DE LA OBRA DE ESTEBAN ECHEVERRÍA

1805 Nace en Buenos Aires, el 2 de septiembre.

1816-19 Estudios en la Escuela de San Telmo, jurisdicción del Cabildo. Vida de adolescente rebelde —huérfano de padre— un tanto bohemia, de la que ha dejado testimonio en algunos apuntes (*Revista del Río de la Plata*, tomo I, pág. 7).

1822-23 Estudios en la Universidad. Muere su madre y se culpa de haber influido en esa muerte con su vida licenciosa. Dependiente en el negocio de los Lezica.

1825 El 17 de octubre se embarca rumbo a Francia en "La Joven Matilde". Tras accidentado viaje —del cual ha dejado impresiones en *El ángel caído*— llega a El Havre.

1826-30 Permanece en París. Alterna con estudiantes del Barrio Latino y maestros de escuelas superiores. Estudia disciplinadamente diversas ciencias, con afán enciclopedista. Convertido en poeta y pensador, regresa a Buenos Aires. Encuentra a su patria envuelta en los fermentos de las pasiones políticas que concluirán en la tiranía de Rosas. Hasta 1837 vivirá como extranjero en su patria. Publica sus primeros versos en la "Gaceta Mercantil".

1831 Publica la *Profecía del Plata* en "El Diario de la Tarde".

1832 Publica *Elvira*. Esta obra introduce el romanticismo en la poesía castellana e inicia la poesía romántica en el Plata. Recrudece su enfermedad cardíaca y se traslada a Mercedes del Uruguay.

1834 Publica *Los Consuelos*. Con esta obra se inicia el romanticismo en la poesía del Plata.

1836 Participa en el "Salón literario" de Marcos Sastre. En "Los Talas", comienza *La Cautiva*.

1837 Publica *Rimas*, que incluye *La Cautiva*. Con este libro impone el romanticismo en el Plata.

1838 Funda la "Joven Generación Argentina" que sustituye al "Salón literario", disuelto por Rosas. Allí lee "Palabras simbólicas", programa civil y político de la nueva generación.

1840 Tras las fracasadas insurrecciones del norte y del sur, se refugia en "Los Talas". Comienza a escribir su poema *La insurrección del sud* y el *Dogma Socialista*. Debe fugar a Colonia.

1841 Se traslada a Montevideo, donde escribe poemas civiles revolucionarios como *A la juventud argentina*.
Hasta 1851 reside en la ciudad sitiada por las tropas de Oribe.
Allí escribe sus poemas *Avellaneda, El ángel caído, La guitarra*, y diversos ensayos. Vive penosa y pobremente, en soledad, lejos de sus grandes amigos Gutiérrez y Alberdi. En 1846 publica el *Manual de enseñanza moral* para las escuelas primarias y el *Dogma Socialista*, algo modificado y precedido de *Ojeada retrospectiva*. Reconstruye la "Joven Generación Argentina" con el nombre de "Asociación de Mayo".

1851 Muere el 19 de enero.

I

EL HOMBRE EN SU OBRA

*Una noticia de cualquiera de las obras representativas
de Esteban Echeverría, necesita ser integrada con el examen de los principales aspectos de su vida, su actividad civil y política, y con el momento generacional. Sólo así adquiere su exacto relieve y su posibilidad de comprensión
sin mutilaciones deformadoras.*

*La vida de Echeverría ofrece tres etapas de rasgos de-
finidos:*

*a) La de su residencia en Buenos Aires hasta los diecio-
cho años, que se desenvuelve despreocupadamente, predo-
minando en su actividad las diversiones y lo superficial. En
sus apuntes autobiográficos ha dejado un párrafo —repeti-
damente citado por sus biógrafos— irreemplazable como
testimonio y síntesis de esta primera época:*

"Hasta la edad de dieciocho años fue mi vida casi toda
externa: absorbiéndola sensaciones, amoríos, devaneos, pasiones de la sangre, y alguna vez la reflexión... Entonces,
como caballo desbocado, yo pasaba las horas ignorando
adónde iba, quién era, cómo vivía. Devorábame la saciedad
y yo devoraba al tiempo".

"Carpetero, jugador de billar y libertino", además de notable guitarrista, sus días se agotaban sin grandes horizontes. Huérfano de padre desde niño, su educación quedó
librada a los caprichos de su propia voluntad. Lo más or-
denado de este tiempo fueron los estudios en el Colegio
de Ciencias Morales. Y tal vez el más denso, es el momento
que sigue a la muerte de su madre; este acontecimiento lo
conmovió al extremo de hacerle sentir que él había con-
tribuido a esa muerte con su vida licenciosa.

Si el protagonista de La peregrinación de Gualpo, recoge
caracteres y episodios autobiográficos, hay que anotar que
la muerte de la madre opera en el joven porteño una conmoción tan profunda, que lo angustia al punto de hacerlo

pensar —románticamente— en el suicidio; idea de la que han de rescatarlo las voces de la muerta, también románticamente audibles para su alma atormentada.

La vida en esta etapa revela la tendencia de su naturaleza hacia el modo de ser romántico: individualismo, libre arbitrio, apasionamiento, por sobre las contenciones de las normas y los convencionalismos. Inclinación a imponer su yo en la existencia, y a vivir en activa actitud de indagación y de aventura. Actitud de juventud insatisfecha.

El romanticismo de Echeverría tiene, pues, su raíz, en la manera de ser vital del hombre.

b) La segunda etapa es la de su residencia en París, entre 1825 y 1830.

El París de Echeverría es precisamente el de mayor efervescencia, cohesión y difusión del movimiento romántico. Allí se pudo conectar con las voces de mayor significación, tanto en la literatura como en la política. Es el momento de Hugo, Lamartine, Vigny, Musset, Sainte-Beuve. Además de los románticos franceses conoció algo de la obra de los alemanes —Goethe, Schiller—; italianos —Manzoni—; ingleses —Walter Scott, Byron. Años —1827— de la tempestuosa y discutida presentación del teatro de Shakespeare en Francia, y del manifiesto romántico de Víctor Hugo en el prefacio de Cronwell, y del estreno de Hernani —1830.

Directa o indirectamente, Echeverría tuvo contacto con esos hechos y esas obras: "¡Quels trésor n'ai je pas trouve! [1]", dice en carta a un amigo, a principios de 1827, comentando sus lecturas de Schiller y de Goethe.

Inclinado a poetizar merced al influjo de esas lecturas y de esa febril actividad literaria y cívica que lo rodeaba, necesitó estudiar los secretos del idioma y del verso españoles y se sometió a la afanosa lectura de Fray Luis de León, Cervantes, Quevedo, Moreto, Lope, Tirso. De ellos extrajo enseñanzas de idioma, de pensamiento y de sentimiento, como lo manifiestan los epígrafes de estos autores, que toma en algunas composiciones suyas.

---

[1] ¡Qué tesoros no encontré yo!

Sin embargo, no es la actividad literaria lo que atrae especialmente la atención del joven argentino, sino la actividad filosófica, política y cívica. Frecuentó las obras de Víctor Cousin, Lerminier, Leroux, Herder y otros, que lo nutrirían de las nuevas ideas liberales, democráticas, sociales y del sentido de la historia.

c) La tercera etapa es la de su magisterio romántico en la Argentina. Es la época de mayor significación de su vida y de su obra, la que ha quedado indisolublemente ligada al proceso histórico, cultural y literario del país.

El hecho vital y la realidad exaltan por entonces los factores románticos de su personalidad. Dedicado a estudios de política y economía, parecía en ese tiempo apartarse del quehacer literario. En el viaje de regreso, el espectáculo de la naturaleza, mar y cielo, lo conmueven poéticamente: canta al "crepúsculo", a la "Luna", a la "Noche en el mar".

Al desembarcar en su país una angustiosa realidad —dramática y convulsionada— golpea en sus esperanzas y en sus ideales de pródigo que esperaba encontrar en su tierra natal, el aire de libertad que sintió perdido en Europa:

"El retroceso degradante en que hallé a mi país, mis esperanzas burladas produjeron en mí una melancolía profunda. Me encerré en mí mismo y de ahí nacieron infinitas producciones".

Por esos años recrudece la enfermedad que lo aquejaba desde joven. El poeta siente la preocupación de la muerte, y su inspiración creadora se puebla de dolor, angustia y sentimiento trágico de la vida.

De entonces —1832— es Elvira o La Novia del Plata, que inicia la poesía romántica en lengua castellana y que rompe la sujeción de la poesía hispanoamericana a los modelos y dictados de la española porque aunque Echeverría someta nuestra literatura romántica al nuevo magisterio de Francia, lo que es particularmente significativo, es su actitud de búsqueda renovadora, en verdad revolucionaria. Actitud de búsqueda de una personalidad literaria, que conduce a la joven generación por el camino del encuentro consigo misma, y hacia el conocimiento y toma de conciencia de la realidad. Entronque de la aspiración literaria con

la necesidad nacional. Aspiración que es programa y ape-
tencia de todos los románticos del mundo, pero que en
Echeverría y su generación, como en todo el romanticismo
hispanoamericano, es algo más que una mera actitud teó-
rica y estética. Porque la realidad histórica que estos hom-
bres viven en ese momento, les exige justamente a ellos,
a los mejores, a los que aspiran a convertirse en conducto-
res, mentores y actores del proceso nacional, una forma
de actuar: que con anterioridad a la acción, tomen concien-
cia de esa realidad en la que ejercerán su magisterio. Es
la situación convulsionada de las nuevas repúblicas, la que
exige perentoriamente a nuestros románticos su compromi-
so con el quehacer histórico concreto.

Sin embargo, esta obra no tuvo la repercusión ni la in-
fluencia esperada por su autor.

Cuando publica Los Consuelos —1834—, sus conciudada-
nos, y especialmente los jóvenes, se sienten interpretados
en la lírica de Echeverría, según afirma el testimonio de
su amigo Juan María Gutiérrez. La obra se alimenta otra
vez en el romanticismo vital del poeta:

"He denominado así estas fugaces melodías de mi lira
—explicaba refiriéndose al título, en notas finales— porque ellas divirtieron mi dolor y han sido mi único alivio
en días de amargura".

Por entonces, la independencia literaria es ya un ideal
deliberado de la generación. El romanticismo proclama su
estética y sus líneas. Si Echeverría no ha difundido toda-
vía por escrito la nueva doctrina literaria, es indudable
—como afirma el crítico Emilio Carilla—[2] que su magiste-
rio oral era una actividad efectiva.

Esa doctrina y ese magisterio verán concretarse su pro-
grama en las poesías de Rimas —1837— que incluye el poe-
ma La Cautiva, del cual hablaremos detenidamente más
adelante.

1837 es año de concreciones programáticas, tanto en la
literatura como en la política. Es el año de la actividad
del Salón Literario de Marcos Sastre, en el que participará

---

[2] *El romanticismo en la América hispánica*, Gredos, Madrid, 1958.

Echeverría directamente a través de sus discípulos y amigos: Gutiérrez y Alberdi.

La tiranía de Rosas disolvió a los asistentes al Salón. Pero el espíritu de los jóvenes que deseaban sacar a su patria de la encrucijada política, los reagrupó en una nueva Sociedad, la "Joven Generación Argentina", en la que Echeverría expuso el programa democrático y liberal de las quince Palabras Simbólicas, cuyo desarrollo daría lugar, más tarde, al Dogma Socialista —1846.

Echeverría es ya jefe y mentor de la "Joven Generación Argentina", que lo sigue y elogia: Sarmiento, Gutiérrez, Alberdi, Mitre . . .[3].

Ese magisterio es doble: literario y cívico-político. El testimonio de Alberdi lo declara:

"Por Echeverría, que se había educado en Francia, durante la Restauración, tuve las primeras noticias de Lerminier, de Villemain, de Víctor Hugo, de Alejandro Dumas, de Lamartine, de Byron y de todo lo que entonces se llamó el romanticismo, en oposición a la vieja escuela clásica . . . A Echeverría debí la evolución que se operó en mi espíritu con las lecturas de Víctor Cousín, Villemain, Chateaubriand, Jouffroy y todos los eclécticos procedentes de Alemania, en favor de lo que se llamó el espiritualismo".

El biógrafo de Echeverría, Abel Cháneton, ha resumido significativamente la influencia de aquel magisterio: "Suscita la vocación histórica de López, la vocación literaria de Gutiérrez, la vocación de publicista de Alberdi. Sarmiento despierta en su rincón montañés al llamado de la Asociación de Mayo. Mitre se inicia en la vida literaria a los dieciséis años con un artículo crítico sobre las Rimas y con un soneto laudatorio".

d) La cuarta etapa es la de su vida de proscripto en Montevideo. El sombrío año 40, con la persecución celosa de la tiranía, disolvió el grupo de la "Joven Generación

---

[3] El primero lo elogia en *Facundo*, obra que representa precisamente el más serio intento de realizar el examen, proceso y denuncia de las condiciones históricas, sociales y geográficas del país, y expresa a la vez la viva necesidad de este tipo de acción, que sintió la generación de Echeverría.

Argentina" y los integrantes se vieron obligados a emigrar. Echeverría, tras corta residencia en la estancia "Los Talas", escapó a Colonia del Sacramento y luego a Montevideo. Allí vivió en soledad entre penurias financieras sin ver realizarse sus ideales cívico-patrióticos, hasta su muerte acaecida en 1851, pocos meses antes de la ansiada caída del tirano.

En Montevideo colaboró en periódicos y elaboró sus poemas largos —Avellaneda, El Ángel Caído, La Guitarra—, *terminó* La Insurrección del Sud, *interrumpida años antes, y publicó* El Dogma Socialista, *precedido de una* Ojeada retrospectiva sobre el movimiento intelectual en El Plata desde el año 37.

Mientras tanto instaba a sus amigos a concretar la acción para la realización de su programa. Su influencia había decaído en el hecho inmediato; pero fue definitiva e incitadora en todo el desarrollo literario y cultural, de manera que se ejerció no sólo en su generación, sino en generaciones posteriores, especialmente en las formas que asumieron sus principales iniciaciones literarias: La Cautiva *y* El Matadero.

II

LAS IDEAS DE ESTÉTICA LITERARIA

Las ideas estéticas de Echeverría derivan en general de los románticos franceses, ingleses y alemanes. Pero lo singular es que tales ideas estéticas heredadas y su dogma de preceptista literario, se vinculan indisolublemente con su actitud revolucionaria de creador de una nueva nación, con la pasión de Mayo. Es el ideal americanista de la Revolución, llevado de manera consciente y deliberada al plano de la literatura.

En diversos escritos ha dejado expuestas esas ideas: el prólogo de La Cautiva, Fondo y forma en las obras de imaginación, Clasicismo y romanticismo, Esencia de la poesía, Reflexiones sobre el arte, Carta al Doctor Fonseca, *etc., que figuran en las* Obras completas, *publicadas por Juan*

M. Gutiérrez, con el título general de Estudios literarios — tomo V.

Enumeremos algunas de esas ideas que las obras se proponen realizar:

1. Sobre la naturaleza de la poesía y la originalidad

"La poesía moderna —el romanticismo— no imita ni copia: se nutre del mundo que la rodea.

La poesía es la voz íntima de la conciencia, la sustancia viva de las pasiones, el profético mirar de la fantasía, el espíritu meditabundo de la filosofía, penetrando y animando con la magia de la imaginación los misterios del hombre, de la creación y de la providencia."

Según esto, Echeverría concibe la poesía como un modo de respuesta del espíritu a las incitaciones de la realidad. Se nutre en el doble plano del mundo exterior y en la subjetividad del poeta. O sea que el mundo poético participa de lo concreto exterior y de la idealización que el espíritu opera con esa realidad; de lo individual singular y de lo típico genérico; de lo particular y lo universal. Y como viene desde la realidad y desde el propio poeta, es necesariamente original.

El verdadero poeta idealiza; somete lo natural, lo real, a la imagen de los tipos ideales de su concepción y de su ambición. Echeverría llama a esta idealización: "artizar".

2. Sobre la función del poeta y de la poesía

a) Función de genio, de realizador de una transrealidad oculta:

La poesía es un maravilloso instrumento, cuyas cuerdas sólo tañe la mano del genio que reúne en sí la inspiración y la reflexión, y cuyas sublimes e inagotables armonías expresan lo humano y lo divino: el poeta es, pues, el genio, el mensajero, único capaz de revelar en lo real y concreto la presencia oculta de lo trascendental y divino. Su teoría poética —romántica— se consustancia en esto con su concepción cristiana del mundo y del hombre.

b) Función social:

El poeta no se abandona a la espontaneidad de la inspiración: la subordina a la reflexión. En Echeverría, la poesía se somete a un programa integrado deliberadamente con el civismo americanista y creador de Mayo, que busca definir la nación y encarrilar su destino. La literatura se vincula históricamente con la realidad y sirve de conocimiento, examen, revelación, denuncia e instrumento de lucha.

3. Sobre poesía nacional e independencia literaria

"Es preciso que la poesía aparezca revestida de un carácter propio y original, y que reflejando los colores de la naturaleza física que nos rodea, sea a la vez el cuadro vivo de nuestras costumbres y la expresión más elevada de las ideas dominantes, de los sentimientos y pasiones que nacen del choque inmediato de nuestros intereses sociales". La literatura ha de ser, pues, nacional, en el sentido de servir de expresión de una particular naturaleza y de un pueblo con caracteres, conflictos e intereses propios.

Esta doctrina de literatura nacional, es una consecuencia del ideal revolucionario aplicado al quehacer poético. Y, naturalmente, se complementa con el impulso de independizar la literatura americana de la española, a la que hasta entonces había seguido como discípulo. El ansia de libertad que caracteriza al espíritu romántico, es en Hispanoamérica urgente realidad histórica. Así lo siente y proclama Echeverría: "El espíritu del siglo lleva hoy a todas las naciones a emanciparse, a gozar de la independencia, no sólo política, sino filosófica y literaria; a vincular su gloria no sólo en libertad, en riqueza y en poder, sino en el libre y espontáneo ejercicio de sus facultades morales y de consiguiente en la originalidad de sus artistas".

4. Sobre arte nacional y universal

"El arte debe huir siempre de las particularidades, girar siempre en el círculo de las ideas generales, abrazar con una pincelada un cuadro vasto, un siglo, la humanidad en-

tera, si es posible ...". Esta idea deriva de su concepción cristiana del mundo, que presiente en cada cosa la presencia de Dios, del Todo; en cada hombre, el Hombre; de su ideal humano, que quisiera forjar el arquetipo del hombre y de la mujer; y de su aspiración patriótica, nacional, de constructor revolucionario, que ambiciona imponer la presencia de su patria y sus expresiones culturales, en el conjunto de la cultura universal. Se estrechan así, en la concepción de la poesía, la ambición nacional y la universal. La solución para elevar lo insignificante individual a significación humana y universal, se realizará por medio de paisajes y personajes típicos, estáticos: hombres y paisajes símbolos.

5. El poeta en su circunstancia

"La poesía como expresión nacional de un pueblo, debe tener color local; el arte debe ser el vivo reflejo de la civilización, debe revestir forma distinta en las diversas épocas de su desarrollo, y aparecer con caracteres especiales en cada sociedad, en cada pueblo, en las diferentes edades que constituyen la vida de la humanidad".

Es decir, el arte como interpretación de la vida de los pueblos y de las sociedades en cada circunstancia histórica, y el poeta como intérprete y revelador de su momento histórico.

III

LA CAUTIVA Y EL MATADERO A LA LUZ DE ESTE IDEARIO

Coincidente con el espíritu y las necesidades de la época, y con su misión de mentor y rector generacional, Echeverría se dispuso a realizar el programa literario que sus reflexiones y su sentimiento de la realidad le señalaban como derrotero de la literatura nacional, original, creadora y revolucionaria.

LA CAUTIVA

1. El paisaje

a) El paisaje de la doctrina estética

La Cautiva *se escribe con la deliberada intención de afincar la creación poética en la realidad. Incorporar los elementos del contorno físico —naturaleza y paisaje—; y de la realidad humana del país —choque de civilización y barbarie, del blanco y del indio.*

Para Echeverría, la pampa incivilizada, lo que él llama el desierto, es el paisaje dramáticamente definidor de la realidad nacional: "El desierto es nuestro más pingüe patrimonio y debemos sacar de su seno, no sólo riqueza para nuestro engrandecimiento y bienestar, sino también poesía para nuestro deleite moral y fomento de nuestra literatura" —escribe en la Advertencia *que agrega al poema.*

Se acerca al paisaje con la mira de arrancarle las secretas armonías que pueden proveer a la inspiración poética. Echa sobre la pampa su mirada en procura de aprehender sus configuraciones características, y su alma romántica se emociona y subyuga con la extensión y la soledad. De esa manera, del encuentro de su espíritu con la realidad, provienen algunas notas del perfil estético de la pampa en La Cautiva: la grandiosidad de los aspectos descritos; la sonoridad del canto con que manifiesta su emoción del paisaje junto a su amor al suelo nativo, exaltado por la hora revolucionaria. Además, la intención de descubrir y mostrar la potencialidad estética del paisaje, como para entusiasmar a las generaciones americanas y requerirlas para el canto nativo.

Por otra parte, Echeverría modifica la versión del paisaje con su tendencia a levantar lo particular hasta lo universal, dentro de grandes cuadros genéricos. Y este propósito de universalidad ha de restarle plasticidad concreta al paisaje de Echeverría, porque va a adquirir, por sobre la visión inmediata, los contornos que la idealización poética le proporciona. El paisaje se estatiza, se "artiza" y pierde lo característico y vital. El lenguaje se apoya entonces en el vocabulario generalizador que pretende abarcarlo todo a

expensas de imágenes y adjetivaciones genéricas, abstrac-
tas, tipificadoras, entre cuyas mallas se esfuma lo carac-
terístico:

> El desierto
> inconmensurable, abierto
> y misterioso...
> ¡Cuántas, cuántas maravillas
> sublimes y al par sencillas..., etc.

Esta cualidad de la descripción del paisaje —que puede considerarse como detrimento de la intención del poeta— es importante, en cambio, en otro aspecto: la actitud que lo lleva a recurrir a ese sistema de expresiones transparenta su mentalidad y su estado emocional: nos habla del entusiasmo patriótico que lo lleva a descubrir el país para su generación, a querer "meter" el amor a la tierra propia en el entusiasmo de sus coetáneos y a nutrir la poesía —y el alma— con el sentimiento de la realidad. Manifiesta además en él al hombre que desea contribuir en forma activa a la realización cultural del momento histórico en que vive, y es expresivo de una generación que ansía servir creadoramente en todos los campos y que ha tomado conciencia de la realidad y de la hora. Por fuera del mundo que pretenden revelar y crear, los paisajes de La Cautiva importan por lo que expresan respecto a la actitud del poeta frente a la materia de su canto, que, en este caso, al referirse a la llanura, es la parte de su país que necesitaba todavía, urgentemente, integrarse a los desvelos del quehacer nacional. La pasión patriótica de Echeverría, el clima espiritual de su generación, han quedado fijados en las modalidades del paisaje de La Cautiva.

b) El paisaje romántico

La imagen de la naturaleza y el paisaje se configuran, además, con los contornos del alma del poeta y de sus estados de ánimo. Echeverría tiene la concepción romántica de que la vida está sujeta a secretos designios de Dios, y esto, que en los románticos es un sentimiento de su existencia en el mundo, él lo apoya en la visión que la pampa le ofrece. La inmensidad, la soledad, la pluralidad

de elementos desconocidos le arrancan al poeta exclamaciones de asombro y de estremecimiento ante lo arcano.
De la contemplación del paisaje, el alma romántica se
eleva a la concepción de Dios:

> ¡Cuántas, cuántas maravillas,
> sublimes y a par sencillas,
> sembró la fecunda mano
> de Dios allí! ¡Cuánto arcano
> que no es dado al mundo ver!

La pintura del paisaje se une siempre al sentimiento de
algo sobrehumano que sobrecoge románticamente el espíritu. La naturaleza se muestra como expresión misteriosa de
la divinidad, la inmensidad determina un vértigo que busca
el reencuentro de su equilibrio, en el sentimiento de Dios.
Recuérdese la segunda estrofa de El Desierto.

La descripción se carga de adjetivos e imágenes que se
generan en ese sentimiento de lo misterioso de la creación:
"desierto misterioso, sombra misteriosa, las calladas soledades de Dios; soledades de Dios sólo conocidas, que Él
sólo puede sondear..., etc."

En otro aspecto, el paisaje trasunta los estados de ánimo
del poeta o de los personajes. Sirve para crear la atmósfera
y el clima de la situación o el conflicto humano: "el triste
aspecto de la grandiosa llanura", "con luz trémula brillaba", "una faja negra como una mortaja el occidente cubrió"; "noche es el vasto horizonte...", "una estrella cual
benigno astro de amor", etcétera.

c) La selección realista del paisaje

Hay momentos en la descripción del paisaje, en que consigue revelar plásticamente el mundo real, siempre a través de él mismo e idealizándolo. Momentos en que la realidad se impone al poeta y se instala en el canto con sus
moldes propios; en que atraviesa la presión subjetiva y
recupera sus contornos objetivos —realistas—. Léanse por
ejemplo las estrofas 2, 3, 7 y 8 de El Desierto, o las descripciones iniciales de La Alborada y La Quemazón. La
selección de los elementos agrupados consigue una acertada aprehensión de las características del ambiente: inmen-

sidad, soledad, silencio, monotonía. El lenguaje recurre a términos genéricos en los que es difícil distinguir lo particular: hierba, insecto, tribu, aura, llanura, armonías del viento, pájaro, bruto, grama, flor. Rara vez se da lo particular y concreto: yajá, el tigre feroz, la blanca cigüeña. En esto reside el acierto objetivador del paisaje de Echeverría: en hacer resaltar puntos de referencia concreta, raros y aislados en medio de la sensación de extensión inmensa y monótona como la misma pampa. Vista a vuelo de pájaro de la llanura pampeana.

El paisaje de La Cautiva se dibuja, pues, desde cuatro perspectivas distintas:

1. La idealizada-generalizadora, tipificadora, que tiende a lo universal.

2. La idealizada-subjetivadora, proyección sentimental, que adapta el cuadro a la manera de ser y al sentimiento o ideal del autor; la descripción del paisaje describe el alma del poeta.

3. La retórica-técnica, seleccionada para crear la atmósfera o el clima sentimental y emocional previsto.

4. La impresionista-realista, concreta y particularizadora, que busca lo característico.

El poema fue concebido sobre la experiencia viva de la realidad, mientras pasaba días de fugitivo en "Los Talas", lugar que hasta poco antes había sido frontera entre la civilización y el indio. De manera que los paisajes son versión de una realidad inmediata, llevada a cabo en lenguaje directo y sencillo, aunque dentro de moldes que le impone la idealización anímica, retórica y preceptista que hemos señalado.

2. Los personajes

Los personajes centrales del drama, María y Brian, son dos seres ideales, con los contornos comunes a los personajes románticos de cualquier parte. María define especialmente el ideal romántico de la heroína que logra salvar su virtud, luchar y morir por su amor.

El mismo Echeverría ha consignado que su principal intención al componer el poema, estuvo en la descripción poética de la pampa. Los personajes, por lo tanto, no responden a realidades observadas, sino a esquemas de un ideal romántico del hombre y sus pasiones.

Aun en esta cualidad de los personajes, se revela otra actitud del poeta ante la materia de su canto, concorde con sus lecturas filosóficas (Herder). Echeverría sentía que la naturaleza obra transformadoramente en el espíritu humano. El espíritu de María responde a los reclamos de la tierra. La cautiva no lo es sólo de los indios, de los cuales puede liberarse; es, sobre todo, cautiva de la tierra, de su extensión y de su bárbara soledad. Ahí se expresa también el sentimiento de la tierra y de la patria que Echeverría vive como un choque dramático y apasionado[4].

Con este planteo nos alejamos del lugar común de la crítica, que sólo ve en los personajes del poema modalidades comunes de la poesía romántica, del que el poeta venía nutrido. La Cautiva, en ese mismo mundo genérico e idealizado que presenta, es la expresión concreta de una manera de ser del hombre argentino de la primera generación romántica, en tres circunstancias temporales diversas: en la hora en que la exaltación de la independencia todavía estaba fresca en el fervor nacional; en la hora en que los ideales de la Revolución de Mayo empezaban a sentirse quebrados por la realidad histórica, consustanciada con la realidad física del país; y en la hora en que la anarquía y la tiranía se vivían como el drama de un desgarramiento entre el ideal cívico y cultural y la autoctonía telúrica y humana del país.

Por otra parte, los personajes se definen con los contornos del propio ideal humano del poeta. Él habla de María como si se autorretratara: "María no desespera, / porque su ahinco procura / para lo que ama, ventura; / y al infortunio supera / su imperiosa voluntad".

La presión de la propia naturaleza de Echeverría sobre los personajes —como en las acciones y el paisaje— hace

---

[4] Un tema general de la literatura hispanoamericana, el conflicto cultural del hombre y la tierra, está contenido, aunque imprecisamente, en la dramática lucha de María.

*de ellos imágenes del poeta y desfigura y falsifica las imá-
genes que verosímilmente les corresponderían. Así María,
cuando se desliza envuelta en el misterio de sus móviles,
hasta la estrofa del encuentro de Brian; o las exclamaciones de él, que le pregunta si es un alma o un espíritu; o la
versión de María definiendo su honra y triunfando del paisaje o haciendo desviarse al tigre con su coraje estreme-
cido; o los lugares comunes como el de María que no llora
por estar agotado su dolor; y el de Brian pidiéndole que
huya sola, y las visiones melodramáticas de fantasmas que
hielan la sangre.*

3. El indio

*Echeverría siente al indio como una fuerza de la natura-
leza y al malón como un huracán, como un terremoto. Las
interrogaciones que se hace el poeta sobre las actitudes y
actividades del indio, nunca preguntan por sus necesidades
humanas, por su conflicto vital frente al blanco. Quedan
reducidas a preguntas sobre sus secretos designios, igual
que podría preguntarse sobre la finalidad de un vendaval
que se aproxima.*

*La pintura de El Festín descubre la misma pluma que
pinta El Matadero y la chusma. La misma actitud de in-
comprensión y falta de simpatía. Los seres están dibujados
como fuerzas negativas, como poderes enemigos, como obs-
táculos de la tierra, o como el mal opuesto a lo que el
poeta quiere.*

*No les descubre ninguna cualidad positiva. El poeta no
tiene ninguna posibilidad de comprensión humana hacia ese
sector opuesto de humanidad y prójimo, porque se ha en-
cerrado sentimentalmente en una sobrevaloración de sí
mismo y de sus propias posiciones, y porque ha heredado
la concepción del conquistador, con esa total incapacidad
de comprender otras formas de ser que las suyas.*

*El indio, en su salvaje furor, está pintado con todos los
elementos negativos que se le ocurren al poeta, para señalar más el contraste con la virtud, el valor, la sublime ab-
negación de María y la agonía de Brian, quienes aparecen
como los emblemas del bien, víctimas trágicas e impoten-*

tes de las fuerzas del mal unidas a las fuerzas de la naturaleza.

Echeverría no comprende el problema del indio y su reacción conflictual ante la civilización que lo aplasta y arrasa.

Sin embargo, alguna vez su sensibilidad romántica se inclina hacia el salvaje con cierta cristiana piedad. Cuando describe la ferocidad de la venganza de los cristianos, el malón de los blancos, que sorprende y asesina a los indios, con sus mujeres, sus niños y sus ancianos, usa las mismas expresiones que predominaron en las descripciones de los malones indios. Es claro que en la descripción de Echeverría se descubre su participación en la ira y en la venganza, como si se complaciese en la ferocidad del castigo; no obstante, de vez en cuando, alguna expresión admirada manifiesta el sentimiento del poeta ante el heroísmo de los caciques, pero se trata de destellos apenas. El desprecio de Echeverría — y del blanco— por el indio, ha quedado impreso en la literatura argentina, desde La Cautiva. Martín Fierro retomará después sus esquemas, lo mismo que Tabaré, con las formas del salvaje-fiera.

4. Sentimiento de la vida y del mundo

La Cautiva está recorrida por este hálito: sentimiento de la vida como un peregrinaje solitario del hombre fuera de su mundo del espíritu, y sometido a los designios de la divinidad y de la fatalidad. La vida es un hacer misterioso y agónico. (1ª estrofa de María).

El sentimiento de soledad deriva de la situación biográfica del poeta, que se siente aislado y busca así hacer perceptible su presencia; sentimiento de soledad que se manifiesta como rebeldía en los fuertes y como tristeza en los débiles y vencidos.

Es, pues, el individualismo que busca los modos de imponer su presencia. Se aferra entonces al heroísmo, con el que se mezcla el sentimiento patriótico, y se aferra a la fama, como recurso para rescatar de la insignificancia y la soledad, su orgulloso "yo".

*No es ajeno a este sentimiento y a esta actitud románti-
ca el quehacer civil y literario de Echeverría, que por propia voluntad se convirtió justamente en rector civil y literario de su generación, y que sin duda se dolería del
olvido en que se lo tuvo, en la última época de su vida.*

*María, como personaje, ha recogido el simbolismo de es-
te sentimiento. En ella ha depositado Echeverría sus caracteres y su ideal. Él se siente instrumento de la justicia con
que el amor y el hombre triunfan de la fatalidad. Por eso
rescata del olvido a María —mártir de amor— convirtién-
dola en heroína del poema —como heroína de la vida—
para salvarla del olvido y de la muerte:*

> Pero no triunfa el olvido,
> de amor, ¡oh, bella María!,
> que la virgen poesía
> corona te forma ya...

He aquí el pensamiento de Echeverría:
*Privado de la felicidad en este mundo, el espíritu tiende
a lo infinito como desquite, y descubre en todas las cosas
bellas y buenas una promesa de Dios y de inmortalidad:
"quizá la viva palabra / un monumento le labra / que el
tiempo respetará... / Adiós, en otra morada / nos volveremos a ver...".*

*La triste vida se aferra a cualquier esperanza: al amor,
al renombre, al heroísmo: "Quedaba a su desventura / un
amor, una esperanza, / un astro en la noche obscura, / un
destello de bonanza, / un corazón que querer...". Sobre
todo se aferra al amor, unido a la aspiración de eternidad
después de la muerte. El amor es un don celestial que conduce el alma hasta Dios: "por impenetrable arcano es celestial".*

*A la muerte se la siente como un arcano que angustia
al hombre, con el sentimiento de su finitud en este mundo,
pero se la recibe resignada y cristianamente, mientras el
espíritu triunfa de ella con la fama y el amor.*

*La retórica propia del sentimiento romántico de la vida,
del hombre y del mundo, se manifiesta permanentemente
en imágenes y peripecias: así el choque romántico entre
ilusión y realidad: "el descarnado fantasma / de la reali-*

dad no ve ..."; el hombre sometido al Destino que se siente como fuerza inexorable: "dio en herencia a los humanos / inexorable poder ...". Otras veces son expresiones por donde el poeta manifiesta su situación en la vida, su sentimiento del mundo y su lucha en la realidad: "cautiverio fatal..., del Destino la rigurosa crueldad..., nos anuncia algo fatal..., males tiranos..., abismo de espanto...; infernal terriblez..., signo de calamidad..., horribles presentimientos..., triste peregrinaje..., abandono y soledad..., atroz señal..., insondable llanura". La adjetivación se tiñe también con los colores sombríos que corresponden a ese sentimiento de la vida: "espantoso, sombras negras, sopor mortal, horrisonante, fatal, lóbrega llanura, inexorable poder, sombra funeral, vaga horrendo, ciego desvarío, sol pálido, nevada palidez, estatua fría, agonizante lumbre, pajonal funesto, tremebundo precipicio, fiebre lenta y devorante, etc".

El poema se cierra expresando una esperanza final que sitúa a esa misma concepción trágica de la vida, como una necesidad de liberar la angustia:

> Quizá mudos habitantes
> serán del páramo aerio;
> quizá espíritus, ¡misterio!,
> visiones del alma son ...

ÍBER H. VERDUGO

EDICIONES DE LA CAUTIVA

La primera edición del poema es de 1837, incluido en el libro *Rimas*, editado por la Imprenta Argentina en un tomo de 214 páginas en 8° menor, en tirada de mil ejemplares. "Echeverría descansa de los malos ratos que le ha dado la impresión de sus *Rimas*", escribió Gutiérrez a Florencio Varela.

Una segunda edición se hizo en 1839, en Cádiz: "Quinientos ejemplares de las *Rimas* se vendieron en Cádiz. Lista y Ventura de la Vega las elogiaron, y fue preciso hacer una nueva edición española que se agotó casi en seguida; caso bien raro, aun en aquellos tiempos en que había más afición a versos que ahora". (Menéndez y Pelayo: *Historia de la poesía hispanoamericana*).

En 1846, apareció en Buenos Aires una edición espuria de *Rimas* costeada por suscripción pública. Imprenta de D. José María Arzac. Lleva la Advertencia original y el "Artículo preliminar" a *La Cautiva*. "Dice la anteportada: *¡Viva la Confederación Arjentina / RIMAS / Se vende en la Librería del señor Steadman frente a la Iglesia del Colegio*". Y dice la portada: *RIMAS / de Estevan Echeverría / ¿Pues toda la poesía, / qué sino filosofía? / Moreto /* Buenos Aires. / Imprenta de D. José María Arzac / 1846". (R. A. Arrieta: *Historia de la Literatura Argentina*, pág. 63).

En el mismo año Juan María Gutiérrez reprodujo las *Rimas* en su antología *América Poética*, en Valparaíso.

En 1874, aparecieron las *Obras Completas* de Echeverría, con prólogo y notas de J. M. Gutiérrez, en cinco tomos, editados por C. Casavalle, en Buenos Aires. En el tomo I están las *Rimas*, con todos sus poemas. La Advertencia a *La Cautiva* se incluyó en el tomo V, junto con todos los artículos de crítica literaria de Echeverría. En la Advertencia del tomo tercero, Gutiérrez da noticia de que *La Cautiva* "ha sido impresa varias veces sin intervención del autor, dentro y fuera del país".

En nuestro país existen numerosas ediciones escolares de *La Cautiva*, casi siempre acompañada de *El Matadero*. Se advierte un general descuido en el texto, al punto de que contiene palabras cambiadas y los versos de pie quebrado, incorrectamente dispuestos.

NUESTRA EDICIÓN

Se ha realizado sobre el texto de Gutiérrez, confrontado con el de Peuser. Se ha tenido especial cuidado de señalar las notas del poeta manteniéndolas como aparecían en su redacción original, y con la correspondiente indicación, para que no se confundan con nuestras notas, cosa que es muy frecuente en las ediciones escolares.

Se ha modernizado la acentuación y se han cambiado por minúsculas las mayúsculas versales.

LA CAUTIVA

PRIMERA PARTE

EL DESIERTO

Ils vont. L'espace est grand.

Hugo [1].

En todo clima el corazón de la mujer es
[tierra fértil en afectos
generosos: ellas, en cualquier circunstan-
[cia de la vida, saben
como la samaritana, prodigar el óleo y
[el vino.

Byron [2].

Era la tarde, y la hora
en que el sol la cresta dora
de los Andes. El desierto
inconmensurable, abierto
y misterioso a sus pies
se extiende, triste el semblante,
solitario y taciturno
como el mar, cuando un instante
el crepúsculo nocturno,
pone rienda a su altivez.

Gira en vano, reconcentra
su inmensidad, y no encuentra
la vista, en su vivo anhelo,
do fijar su fugaz vuelo,
como el pájaro en el mar.

---

[1] De acuerdo con el uso romántico, cada uno de los cantos de *La Cautiva* está precedido de un epígrafe que es como la síntesis del tema o movimiento principal del canto. Este de *El Desierto* es un verso del poema *Mazepa*, pieza XXXIV de *Los Orientales* de Víctor Hugo. Mazepa es el nombre de un famoso jefe cosaco. La influencia del jefe del romanticismo francés —general en Hispanoamérica— se inicia desde el comienzo de nuestro romanticismo, a través de Echeverría, que asimiló su doctrina literaria, su amor a la libertad, su odio a la tiranía.

[2] La influencia de Byron es viva y actuante en Echeverría, desde el principio hasta su último poema *El ángel caído*. El poeta inglés reúne las formas del ideal de hombre y héroe románticos; su vida subyuga a nuestro poeta, lo emociona su idealización de la mujer y del amor y le entusiasma su ferviente fustigación de tiranos.

1

Doquier campos y heredades
del ave y bruto guaridas;
doquier cielo y soledades
de Dios sólo conocidas,
que Él sólo puede sondar.

A veces la tribu errante,
sobre el potro rozagante,
cuyas crines altaneras
flotan al viento ligeras,
lo cruza cual torbellino,
y pasa; o su toldería [3]
sobre la grama frondosa
asienta, esperando el día
duerme, tranquila reposa,
sigue veloz su camino.

¡Cuántas, cuántas maravillas,
sublimes y a par sencillas,
sembró la fecunda mano
de Dios allí! ¡Cuánto arcano
que no es dado al mundo ver!
La humilde hierba, el insecto.
La aura aromática y pura;
el silencio, el triste aspecto
de la grandiosa llanura,
el pálido anochecer.

Las armonías del viento
dicen más al pensamiento
que todo cuanto a porfía
la vana filosofía
pretende altiva enseñar.
¿Qué pincel podrá pintarlas
sin deslucir su belleza?
¿Qué lengua humana alabarlas?
Sólo·el genio su grandeza
puede sentir y admirar.

---

[3] *toldería*. El conjunto de chozas o el aduar del salvaje. (*N. del A.*).

Ya el sol su nítida frente
reclinaba en occidente,
derramando por la esfera
de su rubia cabellera
el desmayado fulgor.
Sereno y diáfano el cielo,
sobre la gala verdosa
de la llanura, azul velo
esparcía, misteriosa
sombra dando a su color.

El aura moviendo apenas
sus olas de aroma llenas,
entre la hierba bullía
del campo que parecía
como un piélago ondear.
Y la tierra, contemplando
del astro rey la partida,
callaba, manifestando,
como en una despedida,
en su semblante pesar.

Sólo a ratos, altanero
relinchaba un bruto fiero
aquí o allá, en la campaña;
bramaba un toro de saña,
rugía un tigre feroz;
o las nubes contemplando,
como extático y gozoso,
el yajá [4], de cuando en cuando,

[4] *yajá.* El padre Guevara hablando de esta ave, en su *Historia del Paraguay*, dice: "El *yajá*, justamente lo podemos llamar el volador y centinela. Es grande de cuerpo y de pico pequeño. El color es ceniciento con un collarín de plumas blancas que le rodean. Las alas están armadas de un espolón colorado, duro y fuerte con que pelea... En su canto repiten estas voces, *yajá*, *yajá*, que significa en guaraní "vamos, vamos", de donde se les impuso el nombre. El misterio y significación es que estos pájaros velan de noche, y sintiendo ruidos de gente que viene, empiezan a repetir *yajá*, *yajá*, como si dijeran: "Vamos, vamos, que hay enemigos y no estamos seguros de sus asechanzas". Los que saben esta propiedad del yajá, luego que oyen su canto se ponen en vela, temiendo vengan enemigos para acometerlos... En la provincia se llama chajá o yajá indistintamente. (*N. del A.*)

turbaba el mudo reposo
con su fatídica voz.

Se puso el sol; parecía
que el vasto horizonte ardía:
la silenciosa llanura
fue quedando más obscura,
más pardo el cielo, y en él,
con luz trémula [5] brillaba
una que otra estrella, y luego
a los ojos se ocultaba,
como vacilante fuego
en soberbio chapitel.

El crepúsculo, entretanto,
con su claroscuro manto,
veló la tierra; una faja,
negra como una mortaja,
el occidente cubrió;
mientras la noche bajando
lenta venía, la calma
que contempla suspirando,
inquieta a veces el alma,
con el silencio reinó [6].

Entonces, como el rüido,
que suele hacer el tronido
cuando retumba lejano,
se oyó en el tranquilo llano
sordo y confuso clamor;
se perdió... y luego violento,
como baladro espantoso
de turba inmensa, en el viento
se dilató sonoroso,
dando a los brutos pavor.

Bajo la planta sonante
del ágil potro arrogante

[5] *luz trémula*. Adjetivación de contenido lírico: la descripción de la naturaleza y el paisaje sirve para trasuntar los estados del alma.
[6] *El crepúsculo, entretanto... con el silencio reinó*. Explicitación del sentimiento de fusión de naturaleza y alma.

el duro suelo temblaba.
Y envuelto en polvo cruzaba
como animado tropel,
velozmente cabalgando;
víanse lanzas agudas,
cabezas, crines ondeando,
y como formas desnudas
de aspecto extraño y cruel.

¿Quién es? ¿Qué insensata turba
con su alarido perturba,
las calladas soledades
de Dios, do las tempestades
sólo se oyen resonar?
¿Qué humana planta orgullosa
se atreve a hollar el desierto
cuando todo en él reposa?
¿Quién viene seguro puerto
en sus yermos a buscar?

¡Oíd! Ya se acerca el bando
de salvajes, atronando
todo el campo convecino.
¡Mirad! Como torbellino
hiende el espacio veloz.
El fiero ímpetu no enfrena
del bruto que arroja espuma;
vaga al viento su melena,
y con ligereza suma
pasa en ademán atroz.

¿Dónde va? ¿De dónde viene?
¿De qué su gozo proviene?
¿Por qué grita, corre, vuela,
clavando al bruto la espuela,
sin mirar alrededor?
¡Ved que las puntas ufanas
de sus lanzas, por despojos,
llevan cabezas humanas,
cuyos inflamados ojos
respiran aún furor!

Así el bárbaro hace ultraje
al indomable coraje
que abatió su alevosía;
y su rencor todavía
mira, con torpe placer,
las cabezas que cortaron
sus inhumanos cuchillos,
exclamando: —"Ya pagaron
del cristiano los caudillos
el feudo a nuestro poder.

Ya los ranchos [7] do vivieron
presa de las llamas fueron,
y muerde el polvo abatida
su pujanza tan erguida.
¿Dónde sus bravos están?
Vengan hoy del vituperio,
sus mujeres, sus infantes,
que gimen en cautiverio,
a libertar, y como antes,
nuestras lanzas probarán".

Tal decía, y bajo el callo
del indómito caballo,
crujiendo el suelo temblaba;
hueco y sordo retumbaba
su grito en la soledad.
Mientras la noche, cubierto
el rostro en manto nubloso,
echó en el vasto desierto,
su silencio pavoroso,
su sombría majestad.

[7] *ranchos*. Cabañas pajizas de nuestros campos. (*N. del A.*) Esta nota que aclara un término usual en el lenguaje argentino manifiesta claramente la apetencia de universalidad de Echeverría, que aspira a ser leído por lectores extranjeros, para quienes parecen destinadas las notas de este tipo.

SEGUNDA PARTE

EL FESTÍN

...orribile favelle,
parole di dolore, accenti d'ira,
voci alte e fioche, e suon di man con elle
facevan un tumulto...

Dante [1].

Noche es el vasto horizonte,
noche el aire, cielo y tierra.
Parece haber apiñado
el genio de las tinieblas,
para algún misterio inmundo,
sobre la llanura inmensa,
la lobreguez del abismo
donde inalterable reina.
Sólo inquietos divagando,
por entre las sombras negras,
los espíritus foletos [2]
con viva luz reverberan,
se disipan, reaparecen,
vienen, van, brillan, se alejan,
mientras el insecto chilla,
y en fachiñales [3] o cuevas
los nocturnos animales
con triste aullido se quejan.

La tribu aleve, entretanto,
allá en la pampa desierta,

---

[1] ...hórridas querellas, / voces altas y bajas en son de ira, con golpes de manos a par de ellas, / como un tumulto... (canto tercero: *El infierno*, de *La Divina Comedia*, por Dante Alighieri, traducción de Bartolomé Mitre). La literatura medieval —con su estremecimiento sentimental de religiosidad y misterio— alimentó en general al romanticismo.

[2] *espíritus foletos*: del italiano *folleto*. Espíritu de índole inquieta, alocada, pero no malvado. En Italia llaman así a las fosforescencias que emanan de las osamentas. Equivale a la "luz mala" de nuestros campos.

[3] *fachinales*. Llámanse así, en la provincia, ciertos sitios húmedos y bajos en donde crece confusa y abundante la maleza. (*N. del A.*).

donde el cristiano atrevido
jamás estampa la huella,
ha reprimido del bruto
la estrepitosa carrera;
y campo tiene fecundo
al pie de una loma extensa,
lugar hermoso do a veces
sus tolderías asienta.
Feliz la maloca [4] ha sido;
rica y de estima la presa
que arrebató a los cristianos:
caballos, potros y yeguas,
bienes que en su vida errante
ella más que el oro aprecia;
muchedumbre de cautivas,
todas jóvenes y bellas.

Sus caballos, en manadas,
pacen la fragante hierba;
y al lazo, algunos prendidos,
a la pica, o la manea,
de sus indolentes amos
el grito de alarma esperan.
Y no lejos de la turba,
que charla ufana y hambrienta,
atado entre cuatro lanzas,
como víctima en reserva,
noble espíritu valiente
mira vacilar su estrella;
al paso que su infortunio,
sin esperanza, lamentan,
rememorando su hogar,
los infantes y las hembras.

Arden ya en medio del campo
cuatro extendidas hogueras,
cuyas vivas llamaradas
irradiando, colorean
el tenebroso recinto
donde la chusma hormiguea.

[4] *maloca.* Lo mismo que incursión y correría (*N. del A.*).

En torno al fuego sentados
unos lo atizan y ceban;
otros la jugosa carne
al rescoldo o llama tuestan;
aquél come, éste destriza.
Más allá alguno degüella
con afilado cuchillo
la yegua al lazo sujeta,
y a la boca de la herida,
por donde ronca y resuella,
y a borbollones arroja
la caliente sangre fuera,
en pie, trémula y convulsa,
dos o tres indios se pegan
como sedientos vampiros,
sorben, chupan, saborean
la sangre, haciendo murmullo,
y de sangre se rellenan.
Baja el pescuezo, vacila,
y se desploma la yegua
con aplausos de las indias
que a descuartizarla empiezan.

Arden en medio del campo,
con viva luz las hogueras;
sopla el viento de la pampa
y el humo y las chispas vuelan.
A la charla interrumpida,
cuando el hambre está repleta,
sigue el cordial regocijo,
el beberaje y la gresca,
que apetecen los varones,
y las mujeres detestan.
El licor espirituoso
en grandes bacías echan;
y, tendidos de barriga
en derredor, la cabeza
meten sedientos, y apuran
el apetecido néctar,
que, bien pronto, los convierte
en abominables fieras.

Cuando algún indio, medio ebrio,
tenaz metiendo la lengua
sigue en la preciosa fuente,
y beber también no deja
a los que aguijan furiosos,
otro viene, de las piernas
lo agarra, tira y arrastra
y en lugar suyo se espeta.

Así bebe, ríe, canta,
y al regocijo sin rienda
se da la tribu: aquel ebrio
se levanta, bambolea,
a plomo cae, y gruñendo
como animal se revuelca.
Éste chilla, algunos lloran,
y otros a beber empiezan.
De la chusma toda al cabo
la embriaguez se enseñorea
y hace andar en remolino
sus delirantes cabezas.
Entonces empieza el bullicio,
y la algazara tremenda,
el infernal alarido
y las voces lastimeras,
mientras sin alivio lloran
las cautivas miserables,
y los ternezuelos niños,
al ver llorar a sus madres.

Las hogueras entretanto
en la obscuridad flamean,
y a los pintados semblantes
y a las largas cabelleras
de aquellos indios beodos,
da su vislumbre siniestra
colorido tan extraño,
traza tan horrible y fea,
que parecen del abismo
precita, inmunda ralea,

entregada al torpe gozo
de la sabática fiesta [5].

Todos en silencio escuchan;
una voz entona recia
las heroicas alabanzas,
y los cantos de la guerra:

"Guerra, guerra, y exterminio
al tiránico dominio
del Huinca [6]; engañosa paz;
devora el fuego sus ranchos,
que en su vientre los caranchos [7]
ceben el pico voraz.
Oyó gritos el caudillo,
y en su fogoso tordillo
    salió Brian;
pocos eran y él delante
venía, al bruto arrogante,
dió una lanzada Quillán.
Lo cargó al punto la indiada:
con la fulminante espada
    se alzó Brian;
grandes sus ojos brillaron,
y las cabezas rodaron
de Quitur y Callupán.
Echando espuma y herido
como toro enfurecido
    se encaró,
ceño torvo revolviendo,
y el acero sacudiendo:
nadie acometerle osó.
Valichu [8] estaba en su brazo;

---

[5] *sabática fiesta.* Junta nocturna de los espíritus malignos, según tradición comunicada a los pueblos cristianos por los judíos. (*N. del A.*).

[6] *Huinca.* Voz con que designan los indios al cristiano u hombre que no es de su raza. (*N. del A.*).

[7] *carancho.* Ave de rapiña (*N. del A.*). Cf. nota 7 de *El Desierto*.

[8] *Valichu.* Nombre que dan al espíritu maligno los indígenas de la pampa. Hemos leído en el Falkner, Valichu, comúnmente se dice Gualichu. (*N. del A.*).

pero al golpe de un bolazo [9]
        cayó Brian.
Como potro en la llanura:
cebo en su cuerpo y hartura
encontrará el gavilán.

"Las armas cobarde entrega
el que vivir quiere esclavo;
pero el indio guapo no.
Chañil murió como bravo,
batallando en la refriega:
de una lanzada murió.

"Salió Brian airado
blandiendo la lanza,
con fiera pujanza
Chañil lo embistió;
del pecho clavado
en el hierro agudo,
con brazo forzudo
Brian lo levantó.
Funeral sangriento
ya tuvo en el llano;
ni un solo cristiano
con vida escapó.
¡Fatal vencimiento!
Lloremos la muerte
del indio más fuerte
que la pampa crió".

Quiénes su pérdida lloran,
quiénes sus hazañas mentan.
Óyense voces confusas
medio articuladas quejas,
baladros, cuyo son roncos
en la llanura resuena.
De repente todos callan,
y un solo murmullo reina,

---

[9] *bolas*. Arma arrojadiza, que se compone de tres correas tren-
zadas, ligadas por un extremo, y sujetando en el otro otras tantas
esferas de metal o piedra. (*N. del A.*).

12

semejante al de la brisa
cuando rebulle en la selva;
pero, gritando, algún indio
en la boca se palmea,
y el disonante alarido
otra vez el campo atruena.
El indeleble recuerdo
de las pasadas ofensas
se aviva en su ánimo entonces,
y atizando su fiereza
al rencor adormecido
y a la venganza subleva:
en su mano los cuchillos,
a la luz de las hogueras,
llevando muerte relucen;
se ultrajan, riñen, vocean,
como animales feroces
se despedazan y bregan.
Y asombradas las cautivas,
la carnicería horrenda
miran, y a Dios en silencio
humildes preces elevan.
Sus mujeres entretanto,
cuya vigilancia tierna
en las horas del peligro
siempre cautelosa vela,
acorren luego a calmar
el frenesí que los ciega,
ya con ruegos y palabras
de amor y eficacia llenas;
ya interponiendo su cuerpo
entre las armas sangrientas.
Ellos resisten y luchan,
las desoyen y atropellan,
lanzando injuriosos gritos
y los cuchillos no sueltan
sino cuando, ya rendida
su natural fortaleza
a la embriaguez y al cansancio,
dobla el cuello y cae por tierra.
Al tumulto y la matanza

sigue el llorar de las hembras
por sus maridos y deudos;
las lastimosas endechas,
a la abundancia pasada,
a la presente miseria,
a las víctimas queridas
de aquella noche funesta.

Pronto un profundo silencio
hace a los lamentos tregua,
interrumpido por ayes
de moribundos, o quejas,
risas, gruñir sofocado
de la embriagada torpeza;
al espantoso ronquido
de los que durmiendo sueñan,
los gemidos infantiles
del ñacurutú [10] se mezclan;
chillidos, aúllos tristes
del lobo que anda a la presa
de cadáveres, de troncos,
miembros, sangre y osamentas,
entremezclados con vivos,
cubierto aquel campo queda,
donde poco antes la tribu
llegó alegre y tan soberbia.
La noche en tanto camina
triste, encapotada y negra;
y la desmayada luz
de las festivas hogueras
sólo alumbra los estragos
de aquella bárbara fiesta.

[10] *ñacurutú*. Especie de lechuza grande, cuyo grito se asemeja
al sollozar de un niño. (*N. del A.*).

TERCERA PARTE

EL PUÑAL

Yo iba a morir, es verdad,
entre bárbaros crüeles,
y allí el pesar me mataba
de morir, mi bien, sin verte.
A darme la vida tú
saliste, hermosa, y valiente.

Calderón [1].

Yace en el campo tendida,
cual si estuviera sin vida,
ebria la salvaje turba,
y ningún ruido perturba
su sueño o sopor mortal.
Varones y hembras mezclados,
todos duermen sosegados.
Sólo, en vano tal vez, velan
los que libertarse anhelan
del cautiverio fatal.

Paran la oreja bufando
los cabàllos, que vagando
libres despuntan la grama;
y a la moribunda llama
de las hogueras se ve,
se ve sola y taciturna,
símil a sombra nocturna,
moverse una forma humana,
como quien lucha y se afana,
y oprime algo bajo el pie.

Se oye luego triste aúllo,
y horrisonante murmullo,
semejante al del novillo
cuando el filoso cuchillo

---

[1] La semejanza de situaciones entre la escena de este epígrafe y la que narra el canto, muestra la doble vertiente en que se genera el poema de Echeverría: observación inmediata de la realidad por una parte, y temas literarios tradicionales, por otra.

lo degüella sin piedad,
y por la herida resuella,
y aliento y vivir por ella,
sangre hirviendo a borbollones,
en horribles convulsiones
lanza con velocidad.

Silencio: ya el paso leve
por entre la hierba muéve,
como quien busca y no atina
y temerosa camina
por ser vista o tropezar,
una mujer; en la diestra
un puñal sangriendo muestra [2].
Sus largos cabellos flotan
desgreñados, y denotan
de su ánimo el batallar [3].

Ella va. Toda es oídos;
sobre salvajes dormidos
va pasando; escucha, mira,
se para, apenas respira,
y vuelve de nuevo a andar.
Ella marcha, y sus miradas
vagan en torno azoradas,
cual si creyesen ilusas
en las tinieblas confusas
mil espectros divisar.

Ella va;[4] y aun de su sombra,
como el criminal, se asombra;
alza, inclina la cabeza;
pero en un cráneo tropieza
y queda al punto mortal.

[2] *un puñal sangriento muestra. Mostrar* es un acto voluntario, cosa que no ha querido significar el poeta; por lo tanto el verbo usado no es el requerido por la imagen que se quiere modelar; es un *ripio*, palabra o imagen forzada por la rima. Es defecto frecuente en la versificación de *La Cautiva*.

[3] *de su ánimo el batallar.* Sintaxis forzada por la rima. Cf. nota anterior.

[4] *Ella va.* (Lo mismo que en las estrofas siguientes) pronombre redundante, galicado, al modo de *ils vont*, de Víctor Hugo. Construcción también rendida a las exigencias métricas.

Un cuerpo gruñe y resuella,
y se revuelve..., mas ella
cobra espíritu y coraje,
y en el pecho del salvaje
clava el agudo puñal.

El indio dormido expira,
y ella veloz se retira
de allí, y anda con más tino
arrostrando del destino
la rigurosa crueldad.
Un instinto poderoso,[5]
un afecto generoso
la impele y guía segura,
como luz de estrella pura,
por aquella obscuridad.
Su corazón de alegría
palpita. Lo que quería,
lo que buscaba con ansia
su amorosa vigilancia
encontró gozosa al fin.
Allí, allí está su universo,
de su alma el espejo terso
su amor, esperanza y vida;
allí contempla embebida
su terrestre serafín.

—Brian —dice—, mi Brian querido,
busca durmiendo el olvido;
quizás ni soñando espera
que yo entre esta gente fiera
le venga a favorecer.
Lleno de heridas, cautivo,
no abate su ánimo altivo
la desgracia, y satisfecho
descansa, como en su lecho,
sin esperar, ni temer.

Sus verdugos, sin embargo,
para hacerle más amargo

---

[5] *Un instinto poderoso...* El romántico pone el acento en factores irracionales: instinto, sentimientos.

de la muerte el pensamiento,
deleitarse en su tormento,
y más su rencor cebar
prolongando su agonía,
la vida suya, que es mía,
guardaron, cuando triunfantes
hasta los tiernos infantes
osaron despedazar,

Arrancándolos del seno
de sus madres —¡día lleno
de execración y amargura,
en que murió mi ventura,
tu memoria me da horror!—
Así dijo, y ya no siente,
ni llora, porque la fuente
del sentimiento fecunda,
que el femenil pecho inunda,
Consumió el voraz dolor.

Y el amor y la venganza
en su corazón alianza
han hecho, y sólo una idea
tiene fin y saborea
su ardiente imaginación.
Absorta el alma, en delirio
lleno de gozo y martirio
queda, hasta que al fin estalla
como volcán, y se explaya
la lava del corazón.

Allí está su amante herido,
mirando al cielo, y ceñido
el cuerpo con duros lazos,
abiertos en cruz los brazos,
ligadas manos y pies.
Cautivo está, pero duerme;
inmoble, sin fuerza, inerme
yace su brazo invencible;
de la pampa el león terrible
presa de los buitres es.

Allí, de la tribu impía,
esperando con el día
horrible muerte, está el hombre
cuya fama, cuyo nombre
era, al bárbaro traidor,
más temible que el zumbido
del hierro o plomo encendido;
más aciago y espantoso
que el Valichu rencoroso
a quien ataca su error.

Allí está; silenciosa ella,
como tímida doncella,
besa su entreabierta boca,
cual si dudara le toca
por ver si respira aún.
Entonces las ataduras,
que sus carnes roen duras,
corta, corta velozmente
con su puñal obediente,
teñido en sangre común.

Brian despierta; su alma fuerte,
conforme ya con su suerte,
no se conturba, ni azora;
poco a poco se incorpora,
mira sereno, y cree ver
un asesino: echan fuego
sus ojos de ira; mas luego
se siente libre, y se calma,
y dice: —¿Eres alguna alma
que pueda y deba querer?

¿Eres espíritu errante,
ángel bueno, o vacilante
parto de mi fantasía?
—Mi vulgar nombre es María.
Ángel de tu guarda soy;
y mientras cobra pujanza,
ebria la feroz venganza
de los bárbaros, segura,

en aquesta noche obscura,
velando a tu lado estoy;

nada tema tu congoja.—
Y enajenada se arroja
de su querido en los brazos,
le da mil besos y abrazos,
repitiendo: —Brian, mi Brian—.
La alma [6] heroica del guerrero
siente el gozo lisonjero
por sus miembros doloridos
correr, y que sus sentidos
libres de ilusión están.

Y en labios de su querida
apura aliento de vida,
y la estrecha cariñoso
y en éxtasis amoroso
ambos respiran así.
Mas, súbito él la separa,
como si en su alma brotara
horrible idea, y le dice:
—María, soy infelice,
ya no eres digna de mí.

Del salvaje la torpeza
habrá ajado la pureza
de tu honor, y mancillado
tu cuerpo santificado
por mi cariño y amor;
ya no me es dado quererte [7]—.
Ella le responde: —Advierte,
que en este acero está escrito
mi pureza y mi delito,
mi ternura y mi valor.

---

[6] *La alma.* Construcción exigida por la métrica, para posibilitar la sinalefa. Otras veces dice *el alma.* En *Martín Fierro* se usan construcciones semejantes: *la ave, la águila, la hambre;* pero por otras razones: para incorporar el uso arcaico del lenguaje gauchesco.

[7] *María, soy infelice... ...Ya no me es dado quererte.* Actitud falsa: se siente como poco natural que, en la terrible situación de los amantes se planteen exigencias de ese tipo; lo que ocurre es que se impone el prurito moral del sentimiento romántico: la honra concebida como pureza corporal.

Mira este puñal sangriento,
y saltará de contento
tu corazón orgulloso;
diómelo amor poderoso,
diómelo para matar
al salvaje que insolente
ultrajar mi honor intente;
para a un tiempo, de mi padre,
de mi hijo tierno y mi madre
la injusta muerte vengar.

Y tu vida, más preciosa
que la luz del sol hermosa,
sacar de las fieras manos
de estos tigres inhumanos,
o contigo perecer.
Loncoy, el cacique altivo
cuya saña al atractivo
se rindió de estos mis ojos,
y quiso entre sus despojos
de Brian la querida ver,

después de haber mutilado
a su hijo tierno; anegado
en su sangre yace impura;
sueño infernal su alma apura:
diole muerte este puñal..
Levanta, mi Brian, levanta,
sigue, sigue mi ágil planta;
huyamos de esta guarida
donde la turba se anida
más inhumana y fatal.

—¿Pero adónde, adónde iremos?
¿Por fortuna encontraremos
en la pampa algún asilo,
donde nuesto amor tranquilo
logre burlar su furor?
¿Podremos, sin ser sentidos,
escapar, y desvalidos,
caminar a pie, y jadeando,

con el hambre y sed luchando,
el cansancio y el dolor?

—Sí, el anchuroso desierto
más de un abrigo encubierto
ofrece, y la densa niebla,
que el cielo y la tierra puebla,
nuestra fuga ocultará.
Brian, cuando aparezca el día,
palpitantes de alegría,
lejos de aquí ya estaremos,
y el alimento hallaremos
que el cielo al infeliz da.

—Tú podrás, querida amiga,
hacer rostro a la fatiga,
mas yo, llagado y herido,
débil, exangüe, abatido,
¿cómo podré resistir?
Huye tú, mujer sublime,
y del oprobio redime
tu vivir predestinado;
deja a Brian infortunado,
solo, en tormentos morir.

—No, no, tú vendrás conmigo,
o pereceré contigo.
De la amada patria nuestra
escudo fuerte es tu diestra,
y, ¿qué vale una mujer?
Huyamos, tú de la muerte,
yo de la oprobiosa suerte
de los esclavos; propicio
el cielo este beneficio
nos ha querido ofrecer.

No insensatos lo perdamos.
Huyamos, mi Brian, huyamos:
que en el áspero camino
mi brazo, y poder divino
te servirán de sostén.
—Tu valor me infunde fuerza,

22

y de la fortuna adversa,
amor, gloria o agonía
participar con María
yo quiero. Huyamos; ven, ven—.

Dice Brian y se levanta;
el dolor traba su planta,
mas devora el sufrimiento,
y ambos caminan a tiento
por aquella obscuridad.
Tristes van; de cuando en cuando,
la vista al cielo llevando,
que da esperanza al que gime:
¿qué busca su alma sublime,
la muerte o la libertad? [8]

—Y en esta noche sombría
¿quién nos servirá de guía?
—Brian, ¿no ves allá una estrella
que entre dos nubes centella
cual benigno astro de amor?
Pues ésa es por Dios enviada,
como la nube encarnada
que vio Israel prodigiosa;
sigamos la senda hermosa
que nos muestra su fulgor.

Ella del triste desierto
nos llevará a feliz puerto—.
Ellos van. Solas, perdidas,
como dos almas queridas,
que amor en la tierra unió,
y en la misma forma de antes,
andan por la noche errantes,
con la memoria hechicera
del bien que en su primavera
la desdicha les robó.

---

[8] *Dice Brian... ...la muerte o la libertad?* Cuadro típicamente
romántico: tristeza, soledad y alma esperanzada de libertad o
muerte.

Ellos van. Vasto, profundo
como el páramo del mundo
misterioso es el que pisan.
Mil fantasmas se divisan,
mil formas vanas allí,
que la sangre joven hielan:
mas ellos vivir anhelan.
Brian desmaya caminando,
y al cielo otra vez mirando
dice a su querida así:

—Mira: ¿no ves? La luz bella
de nuestra polar estrella
de nuevo se ha obscurecido,
y el cielo más renegrido
nos anuncia algo fatal.
—Cuando contrario el destino
nos cierre, Brian, el camino
antes de volver a manos
de esos indios inhumanos,
nos queda algo: este puñal.

CUARTA PARTE

LA ALBORADA

> Già la terra e coperta d'uccisi:
> tutta e sangue la vasta pianura...
> *Manzoni.*

> Ya de muertos la tierra está cubierta,
> y la vasta llanura toda es sangre [1].

Todo estaba silencioso:
la brisa de la mañana
recién la hierba lozana
acariciaba, y la flor;

[1] De la célebre tragedia de Manzoni, *El Conde de Carmagnola*
(1817). El autor de *Los novios* y del poema *El cinco de mayo*, fue
muy conocido y citado en Hispanoamérica y especialmente en la
generación romántica de Echeverría.

24

y en el oriente nubloso,
la luz apenas rayando,
iba el campo matizando
de claroscuro verdor.

Posaba el ave en su nido:
ni del pájaro se oía
la variada melodía,
música que el alba da;
y sólo al ronco bufido
de algún potro que se azora,
mezclaba su voz sonora
el agorero yajá.

En el campo de la holganza,
so la techumbre del cielo,
libre, ajena de recelo
dormía la tribu infiel;
mas la terrible venganza
de su constante enemigo
alerta estaba, y castigo
le preparaba crüel.

Súbito, al trote asomaron
sobre la extendida loma
dos jinetes, como asoma
el astuto cazador;
al pie de ella divisaron
la chusma quieta y dormida,
y volviendo atrás la brida
fueron a dar el clamor

de alarma al campo cristiano,
pronto en brutos altaneros
un escuadrón de lanceros
trotando allí se acercó,
con acero y lanza en mano;
y en hileras dividido
al indio, no apercibido,
en doble muro encerró.

Entonces, el grito, "Cristiano, cristiano"
            resuena en el llano,
"Cristiano" repite confuso clamor.
La turba que duerme, despierta turbada,
            clamando azorada,
"Cristiano nos cerca, cristiano traidor" [2].
Niños y mujeres, llenos de conflito, [3]
            levantan el grito;
sus almas conturba la tribulación;
los unos pasmados, al peligro horrendo,
            los otros huyendo,
corren, gritan, llevan miedo y confusión.

Quién salta al caballo que encontró primero,
            quién toma el acero,
quién corre su potro querido a buscar;
mas ya la llanura cruzan desbandadas,
            yeguas y manadas,
que el canto enemigo las hizo espantar.

En trance tan duro los carga el cristiano,
            blandiendo en su mano
la terrible lanza que no da cuartel.
Los indios más bravos luchando resisten,
            cual fieras embisten:
el brazo sacude la matanza cruel.

El sol aparece; las armas agudas
            relucen desnudas,
horrible la muerte se muestra doquier.
En lomos del bruto, la fuerza y coraje,
            crece del salvaje,
sin su apoyo, inerme se deja vencer.

[2] *Entonces, el grito, "¡cristiano, cristiano...!"* Echeverría recurre al cambio de metro y ritmo —uso frecuente en la poesía romántica— para facilitar la adecuación del verso a la situación narrada, y en efecto, este ritmo y metro sugieren mejor la algarabía, galope de caballo, etc.

[3] *Niños y mujeres, llenos de conflito.* Versificación trabajosa rendida a la exigencia de la rima (*conflito*, para rimar con *grito*). El poeta necesitó la palabra *conflito*, y además sincopada, porque tenía previsto el verso siguiente.

Pie en tierra poniendo la fácil victoria,
              que no le da gloria
prosigue el cristiano lleno de rencor.
Caen luego caciques, soberbios caudillos.
              Los fieros cuchillos
degüellan, degüellan, sin sentir horror.

Los ayes, los gritos, clamor del que llora,
              gemir del que implora,
puesto de rodillas, en vano piedad,
todo se confunde: del plomo el silbido,
              del hierro el crujido
que ciego no acata ni sexo, ni edad.

              Horrible, horrible matanza
              hizo el cristiano aquel día;
              ni hembra, ni varón, ni cría
              de aquella tribu quedó.
              La inexorable venganza
              siguió el paso a la perfidia,
              y en no cara y breve lidia
              su cerviz al hierro dio [4].

              Viose la hierba teñida
              de sangre hedionda, y sembrado
              de cadáveres el prado
              donde resonó el festín.
              Y del sueño de la vida
              al de la muerte pasaron
              los que poco antes holgaron,
              sin temer aciago fin.

              Las cautivas derramaban
              lágrimas de regocijo;

[4] *Horrible, horrible matanza...* El "malón blanco" está descrito
en términos semejantes a los usados para describir el malón indio;
pero el sentimiento del poeta es diferente en ambos casos: el malón
indio es para él alevosía, el malón blanco es venganza. El romántico, que se sentía centro del mundo, no supo comprender las razones del adversario.

una al esposo, otra al hijo
debió allí la libertad;
pero ellos tristes estaban,
porque ni vivo ni muerto
halló a Brian en el desierto,
su valor y su lealtad.

QUINTA PARTE

EL PAJONAL

...e lo spirito lasso
conforta, e ciba di speranza buona.
Dante.

...y el ánimo cansado,
de esperanza feliz, nutre y conforta [1].

Así, huyendo a la ventura,
ambos a pie divagaron
por la lóbrega llanura [2].
Y al salir la luz del día,
a corto trecho se hallaron
de un inmenso pajonal [3].
Brian debilitado, herido,
a la fatiga rendido,
la planta apenas movía;
su angustia era sin igual.

[1] Cf. nota relativa al epígrafe de *El Festín*, pág. 8

[2] *lóbrega llanura*. El adjetivo asume la proyección sentimental de los personajes: no describe la llanura, sino el estado de ánimo.

[3] *pajonal*. Paraje anegado, en donde crece la paja enmarañada y alta. Los hay muy extensos, y algunos, a la distancia, aparecen en la planicie como bosques. Son los oasis de la pampa (*N. del A.*). La nota manifiesta la experiencia que Echeverría tiene de la pampa, a la que se acerca no sólo con asombro poético, sino con intención de conocerla racionalmente. Esto es expresivo del impulso que tuvo la toma de conciencia del país por parte de nuestros románticos, y que alcanzará la suma de su realización en *Facundo*.

Pero un ángel, su querida,
siempre a su lado velaba.
Y el espíritu y la vida,
que su alma heroica anidaba,
le infundía al parecer,
con miradas cariñosas,
voces del alma profundas
que debieran ser eternas,
y aquellas palabras tiernas,
o armonías misteriosas
que sólo manan fecundas
del labio de la mujer.

Temerosos del salvaje,
acogiéronse al abrigo
de aquel pajonal amigo,
para de nuevo su viaje
por la noche continuar;
descansar allí un momento,
y refrigerio y sustento
a la flaqueza buscar.

Era el adusto verano [4];
ardiente el sol como fragua,
en cenagoso pantano
convertido había el agua
allí estancada, y los peces,
los animales inmundos
que aquel bañado habitaban,
muertos, al aire infectaban,
o entre las impuras heces
aparecían a veces
boqueando moribundos,
como del cielo implorando

---

[4] *adusto verano*. Nótese el acierto y eficacia de adjetivación: el poeta usa un adjetivo que hace sentir el paisaje humanizado, actuante, protagónico, en antagonismo con los personajes; esto será después característica de nuestra literatura de la tierra, que toma el drama de la lucha vital del hombre con el ambiente. El drama de *La Cautiva*, por sobre toda su carga de fórmulas románticas, es el drama del hombre con la tierra, conflicto vital de Hispanoamérica desde el Descubrimiento hasta nuestros días.

agua y aire: Aquí se vía
al voraz cuervo, tragando
lo más asqueroso y vil;
allí la blanca cigüeña,
el pescuezo corvo alzando,
en su largo pico enseña
el tronco de algún reptil;

más allá se ve el carancho,
que jamás presa desdeña,
con pico en forma de gancho
de la expirante alimaña
sajar la fétida entraña.
Y en aquel páramo yerto,
donde a buscar como a puerto
refrigerio, van errantes
Brian y María anhelantes,
sólo divisan sus ojos,
feos, inmundos despojos
de la muerte. ¡Qué destino
como el suyo miserable!
Si en aquel instante vino
la memoria perdurable
de la pasada ventura
a turbar su fantasía,
¡cuán amarga les sería!
¡cuán triste, yerma y obscura!

Pero con pecho animoso
en el lodo pegajoso
penetraron, ya cayendo,
ya levantando o subiendo
el pie flaco y dolorido;
y sobre un flotante nido
de yajá (columna bella,
que entre la paja descuella,
como edificio construido
por mano hábil) se sentaron
a descansar o morir.
Súbito allí desmayaron
los espíritus vitales

de Brian a tanto sufrir;
y en los brazos de María,
que inmóvil permanecía,
cayó muerto al parecer.
¡Cómo palabras mortales
pintar al vivo podrán
el desaliento y angustias
o las imágenes mustias
que el alma atravesarán
de aquella infeliz mujer,
flor hermosa y delicada,
perseguida y conculcada
por cuantos males tiranos
dio en herencia a los humanos
inexorable poder!

Pero a cada golpe injusto
retoñece más robusto
de su noble alma el valor;
y otra vez, con paso fuerte,
huella el fango, do la muerte
disputa un resto de vida
a indefensos animales;
y rompiendo enfurecida
los espesos matorrales,
camina a un sordo rumor
que oye próximo, y mirando
el hondo cauce anchuroso
de un arroyo que copioso
entre la paja corría,
se volvió atrás, exclamando
arrobada de alegría:
—¡Gracias te doy, Dios Supremo!
¡Brian se salva, nada temo!—

Pronto llega al alto nido
donde yace su querido,
sobre sus hombros le carga,
y con vigor desmedido
lleva, lleva, a paso lento,
al puerto de salvamento
aquella preciosa carga.

Allí en la orilla verdosa
el inmoble cuerpo posa,
y los labios, frente y cara
en el agua fresca y clara
le embebe. Su aliento aspira,
por ver si vivo respira;
trémula su pecho toca
y otra vez sienes y boca
le empapa. En sus ojos vivos
y en su semblante animado,
los matices fugitivos
de la apasionada guerra
que su corazón encierra,
se muestran. Brian recobrado
se mueve, incorpora, alienta,
y débil mirada lenta
clava en la hermosa María,
diciéndole: —Amada mía,
pensé no volver a verte,
y que este sueño sería
como el sueño de la muerte.
Pero tú, siempre velando,
mi vivir sustentas, cuando
yo en nada puedo valerte,
sino doblar la amargura
de tu extraña desventura.
—Que vivas tan sólo quiero;
porque si mueres, yo muero;
Brian mío, alienta, triunfamos;
en salvo y libres estamos;
no te aflijas. Bebe, bebe
esta agua cuyo frescor
el extenuado vigor
volverá a tu cuerpo en breve,
y esperemos con valor
de Dios el fin que imploramos.—

Dijo así y en la corriente
recoge agua, y diligente,
de sus miembros con esmero,
se aplica a lavar primero

las dolorosas heridas,
las hondas llagas henchidas
de negra sangre cuajada,
y a sus inflamados pies
el lodo impuro; y después
con su mano delicada
las venda. Brian, silencioso
sufre el dolor con firmeza;
pero siente a la flaqueza
rendido el pecho animoso.

Ella entonces alimento
corre a buscar; y un momento,
sin duda el cielo piadoso,
de aquellos finos amantes,
infortunados y errantes,
quiso aliviar el tormento.

SEXTA PARTE

LA ESPERA

¡Qué largas son las horas del deseo!
Moreto [1]

Triste, obscura, encapotada
llegó la noche esperada;
la noche que ser debiera
su grata y fiel compañera;
y en el vasto pajonal
permanecen inactivos
los amantes fugitivos.
Su astro, al parecer, declina,

---

[1] De Agustín Moreto y Cavana —1618-1669—, sacerdote y drama-
turgo madrileño, autor de *El desdén con el desdén, El lindo Don
Diego* y otras comedias, tomó Echeverría los versos de la portada
de la edición de *Rimas*: "Pues toda la poesía ¿qué es sino filosofía?".

como la luz vespertina
entre sombra funeral.

Brian, por el dolor vencido
al margen yace tendido
del arroyo; probó en vano
el paso firme y lozano
de su querida seguir;
sus plantas desfallecieron,
y sus heridas vertieron
sangre otra vez. Sintió entonce
como una mano de bronce
por sus miembros discurrir.
María espera a su lado,
con corazón agitado,
que amanecerá otra aurora
más bella y consoladora;
el amor le inspira fe
en destino más propicio,
y le oculta el precipicio
cuya idea sólo pasma:
el descarnado fantasma
de la realidad no ve [2].

Pasión vivaz la domina,
ciega pasión la fascina;
mostrando a su alma el trofeo
de su impetuoso deseo
le dice: tú triunfarás.
Ella infunde a su flaqueza
constancia allí y fortaleza.
Ella su hambre, su fatiga
y sus angustias mitiga
para devorarlas más.

Sin el amor que en sí entraña,
¿qué sería? Frágil caña,
ser delicado, fina hebra,
que el más leve impulso quiebra;
sensible y flaca mujer.

[2] *María espera a su lado ...... de la realidad no ve.* Choque romántico de ideal y realidad.

Con él es ente divino
que pone a raya el destino;
ángel poderoso y tierno
a quien no haría el infierno
vacilar y estremecer.

De su querido no advierte
el mortal abatimiento,
ni cree se atreva la muerte
a sofocar el aliento
que hace vivir a los dos:
porque de su llama intensa
es la vida tan inmensa
que a la muerte vencería,
y en sí eficacia tendría
para animar como Dios.

El amor es fe inspirada;
es religión arraigada
en lo íntimo de la vida;
fuente inagotable, henchida
de esperanza, su anhelar
no halla obstáculo invencible
hasta conseguir victoria:
si se estrella en lo imposible
gozoso vuela a la gloria
su heroica palma a buscar.

María no desespera,
porque su ahinco procura
para lo que ama, ventura;
y al infortunio supera
su imperiosa voluntad.
Mañana —el grito constante
de su corazón amante
le dice—, mañana el cielo
hará cesar tu desvelo;
la nueva luz esperad.

La noche cubierta, en tanto
camina en densa tiniebla,

y en el abismo de espanto,
que aquellos páramos puebla,
ambos perdidos se ven.
Parda, rojiza, radiosa,
una faja luminosa
forma horizonte no lejos;
sus amarillos reflejos
en lo obscuro hacen vaivén.

La llanura arder parece,
y que con el viento crece,
se encrespa, aviva y derrama
el resplandor y la llama
en el mar de lobreguez.
Aquel fuego colorado,
en tinieblas engolfado
cuyo esplendor vaga horrendo,
era trasunto estupendo
de la infernal terriblez [3].

Brian, recostado en la hierba,
como ajeno de sentido,
nada ve. Ella un ruido
oye, pero sólo observa
la negra desolación,
o las sombrías visiones
que engendran las turbaciones
de su espíritu. ¡Cuán larga
aquella noche y amarga
sería a su corazón!

Miró a su amante. Espantoso,
un bramido cavernoso
la hizo temblar, resonando:
era el tigre, que buscando
pasto a su saña feroz
en los densos matorrales,

---

[3] *La llanura ... ... de la infernal terriblez.* Acumulación de elementos de retórica romántica, que exponen el sentimiento de la vida.

nuevos presagios fatales
al infortunio traía.
En silencio, echó María
mano a su puñal, veloz.

SÉPTIMA PARTE

LA QUEMAZÓN

Voyez... Déjà la flamme en torrent se déploie.
Lamartine [1]

Mirad: ya en torrente se extiende la llama.

El aire estaba inflamado;
turbia la región suprema,
envuelto el campo en vapor;
rojo el sol, y coronado
de parda obscura diadema,
amarillo resplandor
en la atmósfera esparcía;
el bruto, el pájaro huía,
y agua la tierra pedía
sedienta y llena de ardor.

Soplando a veces el viento
limpiaba los horizontes,
y de la tierra brotar
de humo rojo y ceniciento
se veían como montes;
y en la llanura ondear,
formando espiras doradas,

---

[1] La influencia de Lamartine fue general en todo el romanticismo hispanoamericano. El ecuatoriano Juan Montalvo llegó a desear que fuera su huésped en su casa del Ecuador. Echeverría se entusiasmaba con sus temas: exaltación de la mujer, ternura y sentimiento idealista del amor. Según el escritor romántico mejicano, Ignacio Altamirano —1834-1893— a Echeverría se le llamaba en Francia, "el Lamartine del Plata".

como lenguas inflamadas,
o melenas encrespadas
de ardiente, agitado mar.

Cruzándose nubes densas,
por la esfera dilataban,
como cuando hay tempestad.
Sus negras alas inmensas;
y más, y más aumentaban
el pavor y obscuridad.
El cielo entenebrecido,
el aire, el humo encendido,
eran, con el sordo ruido,
signo de calamidad.

El pueblo de lejos
contempla asombrado
los turbios reflejos;
del día enlutado
la ceñuda faz.
El humilde llora,
el piadoso implora;
se turba y azora
la malicia audaz.

Quién cree ser indicio
fatal, estupendo
del día del juicio,
del día tremendo
que anunciado está.
Quién piensa que al mundo,
sumido en lo inmundo,
el cielo iracundo
pone a prueba ya.

Era la plaga que cría
la devorante sequía
para estrago y confusión:
de la chispa de una hoguera,
que llevó el viento ligera,
nació grande, cundió fiera
la terrible quemazón.

Ardiendo sus ojos
relucen, chispean;
en rubios manojos
sus crines ondean,
flameando también:
la tierra gimiendo,
los brutos rugiendo,
los hombres huyendo,
confusos la ven.

Sutil se difunde,
camina, se mueve,
penetra, se infunde:
cuanto toca, en breve
reduce a tizón.
Ella era; y pastales,
densos pajonales,
cardos y animales,
ceniza, humo son.

Raudal vomitando
venía de llama,
que hirviendo, silbando,
se enrosca y derrama
con velocidad.
Sentada María
con su Brian la vía:
—¡Dios mío! —decía—.
De nos ten piedad.—

Piedad María imploraba,
y piedad necesitaba
de potencia celestial.
Brian caminar no podía,
y la quemazón cundía
por el vasto pajonal.

Allí pábulo encontrando,
como culebra serpeando,
velozmente caminó;

y agitando, desbocada,
su crin de fuego erizada,
gigante cuerpo tomó.

Lodo, paja, restos viles
de animales y reptiles
quema el fuego vencedor,
que el viento iracundo atiza;
vuelan el humo y ceniza,
y el inflamado vapor,

al lugar donde, pasmados,
los cautivos desdichados,
con despavoridos ojos,
están, su hervidero oyendo,
y las llamaradas viendo
subir en penachos rojos.
No hay cómo huir, no hay efugio,
esperanza ni refugio;
¿dónde auxilio encontrarán?
postrado Brian yace inmoble
como el orgulloso roble
que derribó el huracán.

Para ellos no existe el mundo.
Detrás, arroyo profundo,
ancho se extiende, y delante,
formidable y horroroso,
alza la cresta furioso
mar de fuego devorante.

—Huye presto —Brian decía
con voz débil a María—,
déjame solo morir;
este lugar es un horno:
huye, ¿no miras en torno
vapor cárdeno subir?—

Ella calla, o le responde:
—Dios largo tiempo no esconde
su divina protección.

¿Crees tú nos haya olvidado?
Salvar tu vida ha jurado
o morir mi corazón.—

Pero del cielo era juicio
que en tan horrendo suplicio
no debían perecer;
y que otra vez de la muerte
inexorable, amor fuerte
triunfase, amor de mujer.

Súbito ella se incorpora;
de la pasión que atesora
el espíritu inmortal
brota en su faz la belleza,
estampando fortaleza
de criatura celestial.

No sujeta a ley humana;
y como cosa liviana
carga el cuerpo amortecido
de su amante, y con él junt
sin cejar, se arroja al punto
en el arroyo extendido.

Cruje el agua, y suavemente
surca la mansa corriente
con el tesoro de amor;
semejante a ondina bella,
su cuerpo airoso descuella,
y hace, nadando, rumor.

Los cabellos atezados,
sobre sus hombros nevados,
sueltos, reluciendo van;
boga con un brazo lenta,
y con el otro sustenta,
a flor, el cuerpo de Brian [2].

---

[2] *Súbito ella se incorpora...... a flor, el cuerpo de Brian.* Echeverría ha hecho de la mujer la heroína viril del poema, la fuerza
humana de la lucha contra el ambiente. Deposita en María su ideal
de la mujer que no se entrega a la fuerza ni al infortunio. La

Aran la corriente unidos,
como dos cisnes queridos
que huyen de águila cruel,
cuya garra, siempre lista,
desde la nube se alista
a separar su amor fiel.

La suerte injusta se afana
en perseguirlos. Ufana
en la orilla opuesta el pie
pone María triunfante,
y otra vez libre a su amante
de horrenda agonía ve.

¡Oh, del amor maravilla!
En sus bellos ojos brota
del corazón, gota a gota,
el tesoro sin mancilla,
celeste, inefable unción;
sale en lágrimas deshecho
su heroico amor satisfecho;
y su formidable cresta
sacude, enrosca y enhiesta
la terrible quemazón.

Calmó después el violento
soplar del airado viento:
el fuego a paso más lento
surcó por el pajonal,
sin tocar ningún escollo;
y a la orilla de un arroyo
a morir al cabo vino,
dejando en su ancho camino
negra y profunda señal.

convierte en símbolo del coraje vital para el dominio de la tierra.
Su rebeldía es tan verosímil como la debilidad de las cautivas de
otros poemas, las de *Tabaré*, por ejemplo; y en la descripción, la
belleza física no parece alterarse a pesar de las fatigas y dolores.

OCTAVA PARTE

BRIAN

Los guerreros y aun los bridones de la batalla,
existen para atestiguar las victorias de mi brazo.
Debo mi renombre a mi espada.

Antar [1].

Pasó aquél, llegó otro día,
triste, ardiente y todavía
desamparados como antes,
a los míseros amantes
encontró en el pajonal.
Brian, sobre el pajizo lecho
inmoble está, y en su pecho
arde fuego inextinguible;
brota en su rostro visible
abatimiento mortal.

Abrumados y rendidos,
sus ojos, como adormidos,
la luz esquivan, o absortos
en los pálidos abortos
de la conciencia (legión
que atribula al moribundo),
verán formas de otro mundo;
imágenes fugitivas,
o las claridades vivas
de fantástica región.

Triste a su lado María
revuelve en la fantasía
mil contrarios pensamientos,
y horribles presentimientos
la vienen allí a asaltar;
espectros que engendra el alma,

---

[1] *Antar.* Célebre poeta árabe, de quien M. de Lamartine cita algunos fragmentos en su viaje a Oriente: de ellos se ha tomado el lema que encabeza este canto. (*N. del A.*).

cuando el ciego desvarío
de las pasiones se calma,
y perdida en el vacío
se recoge a meditar.

Allí frágil navecilla
en mar sin fondo ni orilla.
Do nunca ríe bonanza
se encuentra, sin esperanza
de poder al fin surgir.
Allí ve su afán perdido
por salvar a su querido.
y cuán lejano y nubloso
el horizonte radioso
está de su porvenir.

¡Cuán largo e incierto camino
la desdicha le previno!
¡Cuán triste peregrinaje!
Allí ve de aquel paraje
la yerta inmovilidad;
allí ya del desaliento
sufre el pausado tormento,
y abrumada de tristeza,
al cabo a sentir empieza
su abandono y soledad.

Echa la vista delante,
y al aspecto de su amante
desfallece su heroísmo;
la vuelve, y hórrido abismo
mira atónita detrás.
Allí apura la agonía
del que vio cuando dormía
paraíso de dicha eterno,
y al despertar, un infierno
que no imaginó jamás [2].

---

[2] *Echa la vista delante......que no imaginó jamás.* Los dos planos románticos: sueño y realidad. Cf. nota del epígrafe de *El puñal*, pág. 15.

En el empíreo nublado
flamea el sol colorado,
y en la llanura domina
la vaporosa calina,
el bochorno abrasador.
Brian sigue inmoble; y María,
en formar se entretenía
de junco un denso tejido,
que guardase a su querido
de la intemperie y calor.

Cuando oyó, como el aliento
que al levantarse o moverse
hace animal corpulento,
crujir la paja y romperse
de un cercano matorral.
Miró, ¡oh terror!, y acercarse
vio con movimiento tardo,
y hacia ella encaminarse,
lamiéndose, un tigre pardo
tinto en sangre; ¡atroz señal!

Cobrando ánimo al instante
se alzó María arrogante,
en mano el puñal desnudo,
vivo el mirar, y un escudo
formó de su cuerpo a Brian.
Llegó la fiera inclemente;
clavó en ella vista ardiente,
y a compasión ya movida,
o fascinada y herida
por sus ojos y ademán.

recta prosiguió el camino,
y al arroyo cristalino
se echó a nadar. ¡Oh amor tierno!
de lo más frágil y eterno
se compaginó tu ser.
Siendo sólo afecto humano,
chispa fugaz, tu grandeza,
por impenetrable arcano,
es celestial. ¡Oh belleza!

No se anida tu poder
en tus lágrimas ni enojos;
sí, en los sinceros arrojos
de tu corazón amante.
María en aquel instante
se sobrepuso al terror,
pero cayó sin sentido
a conmoción tan violenta.
Bella como ángel dormido
la infeliz estaba, exenta
de tanto afán y dolor.

Entonces, ¡ah!, parecía
que marchitado no había
la aridez de la congoja,
que a lo más bello despoja,
su frescura juvenil.
¡Venturosa si más largo
hubiera sido su sueño!
Brian despierta del letargo;
brilla matiz más risueño
en su rostro varonil.

Se sienta; extático mira,
como el que en vela delira;
lleva la mano a su frente
sudorífera y ardiente.
¿Qué cosas su alma verá?
La luz, noche le parece:
tierra y cielo se obscurece;
y rueda en un torbellino
de nubes. —Este camino
lleno de espinas está:

Y la llanura, María,
¿no ves cuán triste y sombría?
¿Dónde vamos? A la muerte.
Triunfó la enemiga suerte—
dice delirando Brian—.
¡Cuán caro mi amor te cuesta!

¡Y mi confianza funesta,
cuánta fatiga y ultrajes!
Pero pronto los salvajes
su deslealtad pagarán.—

Cobra María el sentido
al oír de su querido
la voz y en gozo nadando,
se incorpora en él clavando
su cariñosa mirada.
—Pensé dormías —le dice—,
y despertarte no quise.
Fuera mejor que durmieras
y del bárbaro no oyeras
la estrepitosa llegada.

—¿Sabes? Sus manos lavaron,
con infernal regocijo,
en la sangre de mi hijo;
mis valientes degollaron.
Como el huracán pasó,
desolación vomitando,
su vigilante perfidia.
Obra es del inicuo bando.
¡Qué dirá la torpe envidia!
Ya mi gloria se eclipsó,

de paz con ellos estaba,
y en la villa descansaba.
Oye; no te fíes, vela;
lanza, caballo y espuela
siempre lista has de tener.
Mira dónde me han traído;
atado estoy y ceñido;
no me es dado levantarme,
ni valerme, ni vengarme,
ni batallar, ni vencer.

Venga, venga mi caballo;
mi caballo por la vida;
venga mi lanza fornida,
que yo basto a ese tropel.

Rodeado de picas me hallo:
paso, canalla traidora,
que mi lanza vengadora
castigo os dará cruel.

¿No miráis la polvareda
que del llano se levanta?
¿No sentís lejos la planta
de los brutos retumbar?
La tribu es, huyendo leda.
Como carnicero lobo,
con los despojos del robo,
no de intrépido lidiar.

Mirad ardiendo la villa
y degollados, dormidos,
nuestros hermanos queridos
por la mano del infiel.
¡Oh mengua! ¡Oh rabia! ¡Oh mancilla!
Venga mi lanza ligero,
mi caballo parejero;
daré alcance a ese tropel.—

Se alzó Brian enajenado,
y su bigote erizado
se mueve; chispean, rojos
como centellas sus ojos,
que hace el entusiasmo arder;
el rostro y talante fiero,
do resalta con viveza
el valor y la nobleza,
la majestad del guerrero
acostumbrado a vencer.

Pero al punto desfallece.
Ella, atónita, enmudece,
ni halla voz su sentimiento;
en tan solemne momento
flaquea su corazón.
El sol pálido declina:
en la cercana colina

triscan las gamas y ciervos,
y de caranchos y cuervos
grazna la impura legión,

de cadáveres avara,
cual su muerte presagiara [3].
Así la caterva estulta,
vil al heroismo insulta,
que triunfante veneró.
María tiembla. Él, alzando
la vista al cielo y tomando
con sus manos casi heladas
las de su amiga, adoradas,
a su pecho las llevó.

Y con voz débil le dice:
—Oye, de Dios es arcano,
que más tarde o más temprano
todos debemos morir.
Insensato el que maldice
la ley que a todos iguala;
hoy el término señala
a mi robusto vivir [4].

¡Resígnate! Bien venida
siempre, mi amor, fue la muerte,
para el bravo, para el fuerte,
que a la patria y al honor
joven consagró su vida.
¿Qué es ella? Una chispa, nada,
con ese sol comparada,
raudal vivo de esplendor.

La mía brilló un momento,
pero a la patria sirviera;
también mi sangre corriera
por su gloria y libertad.

---

[3] *de cadáveres avara, / cual su muerte presagiara.* Tema medieval —romántico de las agorerías.

[4] *hoy el término señala / a mi robusto vivir.* El tema de la muerte de las *Coplas* de Jorge Manrique, como inevitable e igualadora de condiciones humanas.

Lo que me da sentimiento
es que de ti me separo,
dejándote sin amparo
aquí en esta soledad.

Otro premio merecía
tu amor y espíritu brioso,
y galardón más precioso
te destinaba mi fe.
Pero, ¡ay Dios!, la suerte mía
de otro modo se eslabona;
hoy me arranca la corona
que insensato ambicioné.

¡Si al menos la azul bandera
sombra a mi cabeza diese,
o antes por la patria fuese
aclamado vencedor!
¡Oh destino! ¡Quién pudiera
morir en la lid, oyendo
el alarido y estruendo,
la trompeta y atambor!

Tal gloria no he conseguido:
mis enemigos triunfaron:
pero mi orgullo no ajaron
los favores del poder.
¡Qué importa! Mi brazo ha sido
terror del salvaje fiero:
los Andes vieron mi acero
con honor resplandecer.

¡Oh estrépito de las armas!
¡Oh embriaguez de la victoria!
¡Oh campos, soñada gloria!
¡Oh lances del combatir!
Inesperadas alarmas,
patria, honor, objetos caros,
ya no volveré a gozaros;
joven yo debo morir.

Hoy es el aniversario
de mi primera batalla,
y en torno a mí todo calla...
¡Guarda en tu pecho mi amor,
nadie llegue a su santuario...!
Aves de presa parecen...,
ya mis ojos se oscurecen...,
pero allí baja un condor...

Y huye el enjambre insolente...
Adiós, en vano te aflijo...
¡Vive, vive para tu hijo!
Dios te impone ese deber.
Sigue, sigue al occidente
tu trabajosa jornada...
Adiós, en otra morada
nos volveremos a ver.—

Calló Brian, y en su querida
clavó mirada tan bella,
tan profunda y dolorida,
que toda el alma por ella
al parecer exhaló.
El crepúsculo esparcía
en el desierto luz mustia.
Del corazón de María,
el desaliento y angustia
sólo el cielo penetró.

NOVENA PARTE

MARÍA

La muerte parecía bella en su rostro bello.

Petrarca [1].

¿Qué hará María? En la tierra
ya no se arraiga su vida.
¿Dónde irá? Su pecho encierra
tan honda y vivaz herida,
tanta congoja y pasión,
que para ella es infecundo
todo consuelo del mundo,
burla horrible su contento;
su compasión un tormento;
su sonrisa una irrisión.

¿Qué le importan sus placeres,
su bullicio y vana gloria,
si ella entre todos los seres,
como desdichada escoria,
lejos, olvidada está?
¿En qué corazón humano,
en qué límite del orbe,
el tesoro soberano,
que sus potencias absorbe,
ya perdido encontrará? [2]

Nace del sol la luz pura,
y una fresca sepultura
encuentra: lecho postrero,
que al cadáver del guerrero
preparó el más fino amor.

---

[1] "Morte bella parea ncl suo del viso": Petrarca: *Triunfo de la muerte*, I. El romanticismo, como actitud vital, así como se da en un sentido en Echeverría, es un fenómeno de todos los tiempos. Petrarca, por la pujanza lírica y la complacencia en su propio dolor, influyó en los románticos porque se encontraban en él.

[2] *¿Qué le importan sus placeres... ...ya perdido encontrará?* Tema romántico de la soledad del hombre en el mundo.

Sobre ella hincada, María,
muda como estatua fría,
inclinada la cabeza,
semejaba a la tristeza
embebida en su dolor.

Sus cabellos renegridos
caen por los hombros tendidos,
y sombrean de su frente,
su cuello y rostro inocente,
la nevada palidez.
No suspira allí, ni llora;
pero como ángel que implora,
para miserias del suelo
una mirada del cielo,
hace esta sencilla prez:

—Ya en la tierra no existe
el poderoso brazo
donde hallaba regazo
mi enamorada sien:
Tú, ¡oh Dios!, no permitiste
que mi amor lo salvase,
quisiste que volase
donde florece el bien.

Abre, Señor, a su alma,
tu seno regalado,
del bienaventurado
reciba el galardón.
Encuentre allí la calma,
encuentre allí la dicha,
que busca en su desdicha,
mi viudo corazón—.

Dice. Un punto su sentido
queda como sumergido.
Echa la postrer mirada
sobre la tumba callada
donde toda su alma está.
Mirada llena de vida,
pero lánguida, abatida,

como la última vislumbre
de la agonizante lumbre,
falta de alimento ya [3].

Y alza luego la rodilla,
y tomando por la orilla
del arroyo hacia el ocaso,
con indifente paso
se encamina al parecer.
Pronto sale de aquel monte
de paja, y mira adelante
ilimitado horizonte,
llanura y cielo brillante,
desierto y campo doquier.

¡Oh, noche! ¡Oh, fúlgida estrella,
luna solitaria y bella:
¡Sed benignas! El indicio
de vuestro influjo propicio
siquiera una vez mostrad.
Bochornos, cálidos vientos,
inconstantes elementos
preñados de temporales:
apiadaos; fieras fatales,
su desdicha respetad.

Y Tú, ¡oh Dios!, en cuyas manos
de los míseros humanos
está el oculto destino,
siquiera un rayo divino
haz a su esperanza ver.
Vacilar de alma sencilla,
que resignada se humilla,
no hagas la fe acrisolada;
susténtala en su jornada,
no la dejes perecer [4].

---

[3] *Dice... ...falta de alimento ya.* La mujer, con su dolor y su
soledad, como imagen de la tristeza, era un tema grato al sentimen-
talismo romántico.

[4] *Y Tú, ¡oh Dios!... ...no la dejes perecer.* El poeta se siente
intercesor entre Dios y el hombre, y su canto se convierte en oración que clama en busca de un sentido de la existencia.

¡Adiós, pajonal funesto!
¡Adiós, pajonal amigo!
Se va ella sola. ¡Cuán presto
de su júbilo, testigo,
y su luto fuiste vos!⁵
El sol y la llama impía
marchitaron tu ufanía;
pero hoy tumba de un soldado
eres, y asilo sagrado.
¡Pajonal glorioso, adiós!

Gózate; ya no se anidan
en ti las aves parleras,
ni tu agua y sombra convidan
sólo a los brutos y fieras:
soberbio debes estar.
El valor y la hermosura,
ligados por la ternura,
en ti hallaron refrigerio:
de su infortunio el misterio
tú sólo puedes contar.

Gózate; votos, ni ardores
de felices amadores,
tu esquividad no turbaron
sino voces que confiaron
a tu silencio su mal.
En la noche tenebrosa,
con los ásperos graznidos
de la legión ominosa,
oirás ayes y gemidos:
¡Adiós, triste pajonal!

De ti María se aleja,
y en tus soledades deja
toda su alma. Agradecido,

---

⁵ *y su luto fuiste vos!*... El pronombre *vos* está referido a la
segunda persona del singular, por *tú*. Es un caso de *voseo* donde
la corrección gramatical cede a las exigencias de la rima. El voseo
se difundió en el lenguaje argentino en la época de Rosas.

el depósito querido
guarda y conserva. Quizá
mano generosa y pía
venga a pedírtelo un día;
quizá la viva palabra
un monumento le labra
que el tiempo respetará.

Día y noche ella camina;
y la estrella matutina,
caminando solitaria,
sin articular plegaria,
sin descansar ni dormir.
la ve. En su planta desnuda
brota la sangre y chorrea;
pero toda ella, sin duda,
va absorta en la única idea
que alimenta su vivir.

En ella encuentra sustento.
Su garganta es viva fragua;
un volcán su pensamiento;
pero mar de hielo y agua
refrigerio inútil es
para el incendio que abriga.
Insensible a la fatiga;
a cuanto ve indiferente;
como mísera demente
mueve sus heridos pies.

Por el desierto. Adormida
está su orgánica vida;
pero la vida de su alma
fomenta en sí aquella calma
que sigue a la tempestad,
cuando el ánimo cansado
del afán violento y duro,
al parecer resignado,
se abisma en el fondo obscuro
de su propia soledad.

Tremebundo precipicio,
fiebre lenta y devorante,
último efugio, suplicio
del infierno, semejante
a la postrer convulsión
de la víctima en tormento
trance que si dura un día
anonada el pensamiento,
encanece, o deja fría
la sangre en el corazón.

Dos soles pasan. ¿Adónde
tu poder, ¡oh Dios!, se esconde?
¿Está, por ventura, exhausto?
¿Más dolor en holocausto
pide a una flaca mujer?
No; de la quieta llanura
ya se remonta a la altura
gritando el yajá. Camina;
oye la voz peregrina
que te viene a socorrer.

¡Oh, ave de la pampa hermosa,
cómo te meces ufana!
Reina, sí, reina orgullosa
eres, pero no tirana
como el águila fatal [6].
Tuyo es también del espacio
el transparente palacio.
Si ella en las rocas se anida,
tú en la esquivez escondida
de algún vasto pajonal.

De la víctima el gemido,
el huracán y el tronido

[6] ...de la quieta llanura... ...como el águila fatal. El poeta realiza su intento de deseuropeizar su verso: rechaza el símbolo tradicional del águila y usa como símbolo de la realidad al chajá, ave cuyas costumbres la hacen preferida de su intencionalidad y de sus sentimientos. Recoge una creencia popular y la incorpora al poema, consecuente con la premisa romántica de escuchar la voz de los pueblos.

ella busca, y deleite halla
en los campos de batalla.
Pero tú, la tempestad,
día y noche vigilante,
anuncias al gaucho errante;
tu grito es de buen presagio,
al que asechanza o naufragio
teme de la adversidad.

Oye sonar en la esfera
la voz del ave agorera;
oye, María, infelice:
alerta, alerta, te dice;
aquí está tu salvación.
¿No la ves cómo en el aire
balancea con donaire
su cuerpo albo-ceniciento?
¿No escuchas su ronco acento?
Corre a calmar tu aflicción.

Pero nada ella divisa,
ni el feliz reclamo escucha;
y caminando va aprisa.
El demonio con que lucha
la turba, impele y amaga.
Turbios, confusos y rojos
se presentan a sus ojos
cielo, espacio, sol, verdura,
quieta insondable llanura
donde sin brújula vaga.

Mas, ¡ah!, que en vivos corceles
un grupo de hombres armados
se acerca. ¿Serán infieles,
enemigos? No, soldados
son del desdichado Brian.
Llegan; su vista se pasma;
ya no es la mujer hermosa,
sino pálido fantasma;
mas reconocen la esposa
de su fuerte capitán.

¡Creíanla cautiva o muerta!
Grande fue su regocijo.
Ella los mira, y despierta:
—¿No sabéis qué es de mi hijo?—
con toda el alma exclamó.
Tristes mirando a María
todos el labio sellaron.
Mas luego una voz impía:
—Los indios lo degollaron—
roncamente articuló.

Y al oír tan crudo acento,
como quiebra el seco tallo
el menor soplo de viento
o como herida del rayo
cayó la infeliz allí.
Viéronla caer, turbados,
los animosos soldados.
Una lágrima le dieron;
y funerales le hicieron
dignos de contarse aquí.

Aquella trama formada
de la hebra más delicada,
cuyo espíritu robusto
lo más acerbo e injusto.
de la adversidad probó,
un soplo débil deshizo.
Dios para amar, sin duda, hizo
un corazón tan sensible;
palpitar le fue imposible
cuando a quien amar no halló.

Murió María. ¡Oh, voz fiera!
¡Cuál entraña te abortara!
Mover al tigre pudiera
su vista sola, y no hallara
en ti alguna compasión,
tanta miseria y conflito,
ni aquel su materno grito;
y como flecha saliste,

y en lo más profundo heriste
su anhelante corazón.

Embates y oscilaciones
de un mar de tribulaciones
ella arrostró; y la agonía
saboreó su fantasía;
y el punzante frenesí
de la esperanza insaciable
que en pos de un deseo vuela,
no alcanza el blanco inefable:
se irrita en vano y desvela;
vuelve a devorarse a sí.

Una a una, todas bellas,
sus ilusiones volaron,
y sus deseos con ellas.
Sola y triste la dejaron
sufrir hasta enloquecer.
Quedaba a su desventura
un amor, una esperanza,
un astro en la noche obscura,
un destello de bonanza,
un corazón que querer.

Una voz cuya armonía
adormecerla podría;
a su llorar un testigo,
a su miseria un abrigo,
a sus ojos qué mirar.
Quedaba a su amor desnudo
un hijo, un vástago tierno.
Encontrarlo aquí no pudo,
y su alma al regazo eterno
lo fue volando a buscar.

Murió; por siempre cerrados
están sus ojos cansados
de errar por llanura y cielo,
de sufrir tanto desvelo,
de afanar sin conseguir.

El atractivo está yerto
de su mirar. Ya el desierto
su último asilo, los rastros
de tan hechiceros astros
no verá otra vez lucir.

Pero de ella aun no hay vestigio,
¿No veis el raro prodigio?
Sobre su cándida frente
aparece suavemente
un prestigio encantador.
Su boca y tersa mejilla
rosada entre nieve brilla,
y revive en su semblante
la frescura rozagante
que marchitara el dolor.

La muerte bella la quiso
y estampó en su rostro hermoso
aquel inefable hechizo,
inalterable reposo,
y sonrisa angelical,
que destellan las facciones
de una virgen en su lecho;
cuando las tristes pasiones
no han ajado de su pecho
la pura flor virginal.

Entonces el que la viera,
dormida, ¡oh Dios!, la creyera;
deleitándose en el sueño
con memorias de su dueño,
llenas de felicidad.
Soñando en la alba lucida
del banquete de la vida
que sonríe a su amor puro,
más ¡ay! en el seno obscuro
duerme de la eternidad.

¿Eres, plácida luz, el alma de ellos?

Lamartine [1].

¡Oh, María! Tu heroísmo,
tu varonil fortaleza,
tu juventud y belleza
merecieran fin mejor.
Ciegos de amor el abismo
fatal tus ojos no vieron,
y sin vacilar su hundieron
en él ardiendo en amor.

De la más cruda agonía
salvar quisiste a tu amante,
y lo viste delirante
en el desierto morir.
¡Cuál tu congoja sería!
¡Cuál tu dolor y amargura!
Y no hubo humana criatura
que te ayudase a sentir.

Se malogró tu esperanza;
y cuando sola te viste,
también mísera caíste
como árbol cuya raíz
en la tierra ya no afianza
su pompa y florido ornato.
Nada supo el mundo ingrato
de tu constancia infeliz.

Naciste humilde y oculta
como diamante en la mina;
la belleza peregrina
de tu noble alma quedó.
El desierto la sepulta,
tumba sublime y grandiosa,

[1] Cf. nota relativa al epígrafe de *La quemazón*, pág. 37 . La crítica ha señalado reminiscencias de *El lago*, del poeta francés, en Echeverría.

do el héroe también reposa
que la gozó y admiró.

El destino de tu vida
fue amar; amor tu delirio,
amor causó tu martirio;
te dio sobrehumano ser;
y amor, en edad florida,
sofocó la pasión tierna
que, omnipotencia, de eterna,
trajo consigo al nacer.

Pero no triunfa el olvido.
de amor, ¡oh, bella María!,
que la virgen poesía
corona te forma ya
de ciprés entretejido
con flores que nunca mueren;
y que admiren y veneren
tu nombre y su nombre hará.

Hoy, en la vasta llanura,
inhospitable morada,
que no siempre sosegada
mira el astro de la luz;
descollando en una altura,
entre agreste flor y hierba,
hoy el caminante observa
una solitaria cruz.

Fórmale grata techumbre
la copa extensa y tupida
de un ombú[2] donde se anida

[2] *ombú*. Árbol corpulento, de espeso y vistoso follaje, que descuella solitario en nuestras llanuras, como la palmera de los arenales de Arabia. Ni leña para el hogar, ni fruto brinda al hombre, pero sí fresca y regalada sombra en los ardores del estío. (*N. del A.*). La comparación con las palmeras confirma lo observado en la nota de pág. 8, de *El Desierto*, en cuanto a la apetencia de universalidad de Echeverría cuando aclaraba la palabra *rancho*. Pero por otra parte, Echeverría descubre él mismo la pampa y la descubre para sus conciudadanos, para su clase, instalando la naturaleza, el paisaje y el hombre en el sentimiento y en la preocupación nacional. Echeverría dice *árbol corpulento*; lo correcto sería *planta gigante*.

la altiva águila real;
y la varia muchedumbre
de aves que cría el desierto
se pone en ella a cubierto
del frío y sol estival.

Nadie sabe cúya mano [3]
plantó aquel árbol benigno,
ni quién a su sombra, el signo
puso de la redención.
Cuando el cautivo cristiano
se acerca a aquellos lugares,
recordando sus hogares,
se postra a hacer oración.

Fama es que la tribu errante [4],
si hasta allí llega embebida
en la caza apetecida
de la gama y avestruz,
al ver del ombú gigante
la verdosa cabellera,
suelta al potro la carrera
gritando: ¡allí está la cruz!

Y revuelve atrás la vista
como quien huye aterrado,
creyendo se alza el airado,
terrible espectro de Brian.
Pálido el indio exorcista,
el fatídico árbol nombra;
ni a hollar se atreven su sombra
los que de camino van.

También el vulgo asombrado
cuenta que en la noche obscura

[3] *Nadie sabe*... La influencia de Echeverría en la literatura posterior se ha afirmado reiteradas veces. En esta estrofa es evidente la semejanza con la de su discípulo y amigo Luis L. Domínguez, autor de *El ombú*:
El ombú, ninguno sabe / en qué tiempo ni qué mano / en el centro de aquel llano / su semilla derramó...

[4] Esta estrofa y las siguientes manifiestan la raíz del poema en las leyendas populares. Nótese la semejanza del procedimiento, temas y expresión con el *Santos Vega*, de Rafael Obligado.

64

suelen en aquella altura
dos *luces* aparecer;
que salen y habiendo errado
por el desierto tranquilo,
juntas a su triste asilo
vuelven al amanecer.

Quizá mudos habitantes
serán del páramo aerio;
quizá espíritus, ¡misterio!,
visiones del alma son.
Quizá los sueños brillantes
de la inquieta fantasía,
forman coro en la armonía
de la invisible creación.

1. De JUAN MARÍA GUTIÉRREZ:

Las dieciocho estrofas de este canto —El desierto— son otras tantas perlas, y de las de más bello oriente, entre las muchas que adornan la cabeza de la musa argentina. El metro, la versificación, los epítetos, las palabras todas empleadas por el poeta, son sencillas y casi familiares. Esas estrofas maestras no necesitan ni de oropel ni de ruido. Puede decirse de ellas, parodiando a Virgilio, que bástales mostrarse para convencerse de que son divinas y reinas en los dominios poéticos de nuestro Parnaso... El canto de El desierto pertenece a esas creaciones que vivirán eternamente, y serán por siempre hermosas, como lo son la naturaleza y la verdad. La poesía de la pampa está toda entera elaborada y comprendida en esos pocos versos, así como la poesía de una noche estrellada y serena se encierra con todas sus armonías en la oda de León a D. Loarte.

> (Fragmentos de un estudio sobre
> Don Esteban Echeverría. Obras Completas de Echeverría. Tomo V).

2. De DOMINGO F. SARMIENTO:

No de otro modo nuestro joven poeta ha logrado llamar la atención del mundo literario español con su poema titulado "La Cautiva". Este bardo argentino dejó a un lado a Dido y Arjea, que sus predecesores los Varela trataron con maestría clásica y estro poético, pero sin suceso y sin consecuencia, porque nada agregaban al caudal de nociones europeas, y volvió sus miradas al desierto, y allá en la inmensidad sin límites, en las soledades en que vaga el salvaje, en la lejana zona del fuego en que el viajero ve acercarse cuando los campos se incendian, halló las inspiraciones que proporcionan a la imaginación el espectáculo de una naturaleza solemne, grandiosa, inconmensurable, callada; y entonces el eco de sus versos pudo hacerse oír con aprobación aun en la península española.

> (Facundo. 1845)

3. De RICARDO ROJAS:

La composición del poema consiste en la narración un tanto lenta de los sucesos y en la descripción de cuadros enormes como frescos murales que recrearían más al contemplador si el modelado de las figuras y el colorido del ambiente guardara proporción con la inmensidad del arabesco. Su procedimiento se reduce al vocabulario castizo de las gentes cultas, intercalado de uno que otro sustantivo indígena, y al octosílabo popular, salvo muy cortas excepciones, pues Echeverría confesaba en el prólogo del libro su preferencia por el metro de los payadores.

. . . .

Hay, pues, una semejanza entre La Cautiva y el Santos Vega de Ascasubi, innegable si se compara su ambiente, su asunto, su composición y su metro.

. . . .

Bien sé que por primera vez hay quien se atreve al acercamiento de ambos poemas. La sola inclusión de La Cautiva en un estudio de los poetas nativos o payadorescos, ha de parecer a muchos una irreverencia. La preeminencia hasta hoy indiscutible de Echeverría, corre pareja con el desdén, que ha oscurecido hasta hoy a Ascasubi, por ejemplo. Yo no disminuyo con esta crítica a *La Cautiva;* elevo hasta ella a un poema que por ciertos pasajes merece parangonarse con aquél, y coloco a uno y otro, por lo que ambos tienen de "pampeano", en una misma corriente espiritual y estética de la literatura nacional. Si *Santos Vega* alcanza con ello una acogida más urbana, no podemos negar que *La Cautiva* ensancha con ello el campo de su trascendencia literaria.

Al mérito inequívoco de su prioridad en el tema y en el procedimiento literario, se ha de agregar para calificarlo de eximio, la perdurable influencia que ha ejercido, y continúa ejerciendo sobre los poetas sucesores. Su trascendencia ha sido poderosa, no sólo en las corrientes del americanismo que ella sola determinó, sino en la otra corriente del criollismo que gracias a ella, pudo salir de sus primeros cantos fragmentarios y entrar en los grandes dominios de la dramática, de la épica y de la novela.

(Historia de la Literatura Argentina. T. II. 1924).

4. De JOSÉ E. RODÓ:

Mientras exista sobre la haz de la tierra el alma argentina, serán una parte de su ser y un elemento de la poesía que arraigue en sus entrañas, la sensación y el sentimiento de la infinita llanura; y mientras ellos sean peculiaridad de su existencia nacional e inspiración de sus poetas, el pórtico de *La Cautiva* tendrá la eterna oportunidad de la forma que los condensa en molde típico y primero; a la manera como eternamente durará la imagen de las Praderas en el canto de Bryant, o la de la selva del trópico en el poema de Araújo.

Y con la realidad y la intensa vida del cuadro, por las que vive unido indisolublemente a la objetividad de la naturaleza, se armonizan en esa descripción un sello personal, una nota de sentimiento íntimo, que la vinculan, con igual nexo indisoluble, a la idea que nos formamos del autor, y que hacen de aquellas pinceladas la más cumplida expresión de su carácter poético, de su fisonomía moral, de su índole afectiva.

(El mirador de Próspero, 1913).

5. De EZEQUIEL MARTÍNEZ ESTRADA:

La Cautiva, de Echeverría, expone una situación ya fijada, cuando por igual blancos e indios competían en la captura de mujeres para reducirlas a la condición de mancebas o de esclavas, después del período más o menos largo y de estupor para el autóctono, en que presenció que los hijos de los dioses se comportaban como cerdos y disponían, en calidad de dueño y de poseedor de la mayor fuerza, de la suerte de los seres y de las cosas del "mundo recién descubierto". Este poema aparece en 1837, cuando las campañas de Rosas contra el salvaje han dado popularidad a la empresa, y cuando el indio prepara su venganza en gran escala, después de siglos de haber consentido o soportado los humillantes pactos con el invasor. Independientemente de los méritos de la novedad del argumento y de la calidad artística del poema, Echeverría debe ser reconocido como el primero que fija el ámbito para la poesía gauchesca —más que Hidalgo— y los caracteres de los personajes, según cierto canon byroniano en que el heroísmo se liga con la brutalidad. María y Brian son colocados en primer término sobre un fondo sombrío y bárbaro. La antítesis de civilización y barbarie, de Sarmiento, también está preludiada en este poema del verdadero descubridor del sentido americano para nuestra cultura.

(*Muerte y transfiguración de Martín Fierro*. T. II. 1948).

6. *De* ALBERTO PALCOS:

Don Esteban ha progresado mucho —desde 1832— en un lustro. Ha refinado sus gustos y se ha connaturalizado con el terruño. Lo siente, vibra con él, lo comprende y descubre como inagotable filón literario. Y lo revela al mundo entero.

Traza de mano maestra la ágil y limpia descripción de la pampa. Su inmensidad, como la de un mar, no interrumpida entonces por caminos, árboles y alambrados, sus silencios imponentes, sus misterios, las leyendas y supersticiones que engendra, las aprensiones que suscita, las virtudes y los vicios que fomenta, la rudeza y primitividad de las costumbres, los hábitos gauchos, el amor entrañable por los caballos, los malones indígenas, los pajonales, los incendios tremendos, todo lo pinta admirablemente.

(*Historia de Echeverría*. 1951).

EL MATADERO

El Matadero *nace de una urgencia espiritual: expresar el estado de ánimo de alguien que está viviendo una realidad determinada. Se genera directamente en una experiencia conmocional que busca cauce en la expresión literaria. Es producto de la situación histórica. Se escribe por indignación, no por placer estético, para dar testimonio de una situación en la que el escritor se halla vital e indisolublemente inmerso.*

Testimonio, examen y denuncia de la situación social y política en los años 38 y 40: de la tiranía, y de la degradación del pueblo en que ésta se asentaba. Tiene, pues, la categoría de una síntesis de lo que la tiranía significó.

Consecuente con su actitud de alcanzar lo general en lo particular, Echeverría describe ese sitio, El Matadero, *como símbolo de la encrucijada del despotismo. El cuento está concebido como documento de una época y le sirve al autor de medio de examen y denuncia, cuyos fines trascienden o se desentienden de lo simplemente literario y artístico. Sirve de instrumento de lucha contra el tirano porque desnuda la fealdad de sus prácticas, su impiedad, su brutalidad, su bajeza.*

La descripción del cuadro abigarrado del Matadero del Alto es una pintura veraz, anotada con elementos realistas de los tipos y costumbres, pero no es pintura impasible: por debajo de sus colores, palpita el drama entero de una época y de un pueblo desgarrados en la lucha existencial. Se presiente, se adivina, se palpa la angustia de las clases populares echadas a la miseria y a la desesperación del hambre, la ignorancia y el envilecimiento. Echeverría no ha querido denunciar ese drama. Su actitud no es de simpatía para la masa de negros, mulatos y criollos. Por el contrario, ha querido mostrar la base humana degradada, en la que la tiranía de Rosas asentaba su poder físico. Él la sentía culpable de la tiranía; no vio la dolorosa condición de esos seres sometidos por la miseria a los designios del demagogo. Pero, gracias a la selección intensificadora de tipos y escenas, ha dado la versión de la angustia popular, y ha seña-

lado quiénes eran las verdaderas víctimas de los poderes del tirano. Él quiso mostrar la clase culta —su propia clase— como víctima, representada por el unitario de la escena final, pero la obra nos da la otra cara de la realidad, a pesar de la intención del escritor.

La descripción de las costumbres rebosa sus límites, y revela la condición y la situación económica y social en que vivían los diferentes grupos humanos: negros, mulatos, funcionarios, mazorqueros, gringos.

El realismo del cuadro se idealiza bajo la presión de la mirada política del autor: mira la realidad a través de la lente de su posición política y social, a través de su sentimiento de clase. La descripción del cuadro y de las costumbres, que alcanza contornos truculentos, corresponde sin duda a la sordidez de la realidad, pero lleva la sobrecarga selectiva de la intención política.

Y esta realidad se configura dentro de los típicos contrastes románticos: el bien frente al mal. La figura del joven unitario reúne todas las virtudes opuestas a la degradada masa del bajo pueblo. Echeverría traslada al cuadro de las letras los perfiles con que ellos, los unitarios, se veían a sí mismos y veían a sus enemigos. Por eso, el unitario de El Matadero tiene los perfiles de un esquema del héroe civil —el que Echeverría hubiera querido ser— y los contornos abstractos del patriota, que corresponden al ideal unitario y al ideal romántico.

Estamos frente a una versión de la realidad vista a través de un temple de ánimo, que es ofuscada indignación. El contraste pasa del plano político a la pretendida versión de esa realidad. En todo caso, es un realismo que mutila en parte la realidad, y en parte la deforma, porque se pone al servicio de un propósito de persuadir, de convencer con el punto de vista del autor. Es en cierto sentido, literatura de propaganda.

Esa función tienen el diálogo soez y el detalle crudo. No se ha escrito con intención de realismo característico, como color local, sino para documentar la brutalidad espiritual del pueblo sometido. El diálogo define caracteres, posiciones e ideales.

El estilo, a pesar de la sobrecarga que le imponen la intención política y la indignación, adquiere los contornos precisos, necesarios para la versión del cuadro que Echeverría se propuso describir, y tiene momentos de indudable eficacia presentativa y palpable plasticidad. Por ejemplo, la descripción de personas y perros en lucha por las achuras y el episodio en que aparece la espeluznante figura del niño decapitado por el lazo.

Esta tragedia horrible es olvidada en seguida por el tumulto de la gente que se entrega a la disputa de los desechos.

Y al presentar así las cosas, se advierte el pensamiento subyacente de Echeverría, vinculado con el aspecto político y social: estas gentes pueden olvidar un hecho así, pueden no darle demasiada importancia, porque ya están acostumbradas a un régimen de terror que les ha hecho familiar la muerte brutal; que ha creado la inclemencia y ha generado el fanatismo y que ha sido capaz de convertir a las masas en verdugos de sus adversarios. Por eso también es posible el ultraje y la muerte del joven unitario, solamente porque lleva la barba en U y no usa luto por doña Encarnación. Ese luto que fue obligatorio de los años 38 y 40, apogeo de la acción sanguinaria de la mazorca en las épocas precedentes al terror.

En las escenas de El Matadero Echeverría ve la síntesis representativa de la situación del país. El método de sacrificar las reses se extiende a los enemigos políticos, así como el adiestramiento de los muchachos en el oficio de cuchilleros, por diversión. Y le sirve para denunciar la situación económico-social, y la encrucijada en que se encontraban los hombres libres y de pensamiento bajo la dictadura.

La indignación estalla en la ironía mordaz:

"¡Qué nobleza de alma! ¡Qué bravura de los federales, siempre en pandilla cayendo como buitres sobre la víctima inerte!"

El cuadro de época consigue detalles precisos, figuras inconfundibles, acción animadísima, movimiento visible de los grupos humanos, diálogos y lenguaje eficaces. La composición sigue los pasos calculados del efecto que se desea conseguir: ubica la situación histórica, caracteriza el conflicto económico vital del pueblo, enfoca los grupos humanos que quiere examinar y denunciar, particulariza el drama políti-

co *en acertada gradación de elementos, y culmina en el*
escalofriante desenlace de farsa trágica, que simboliza al
país bajo la dictadura.

El cuento de Echeverría rescata en vivo el drama de su
época, señala la responsabilidad del escritor hispanoameri-
cano —honesto y heroico—, y contiene en germen los ele-
mentos de la prosa de contenido social que más tarde apa-
recerá en nuestra literatura.

ÍBER H. VERDUGO

EDICIONES
DE EL MATADERO

Escrito entre 1838 y 1840, *El Matadero* fue dado a conocer en 1871, por Juan María Gutiérrez en la "Revista del Río de la Plata", precedido de una advertencia, que es a la vez noticia y juicio crítico, y que se ha ido reproduciendo en casi todas las ediciones posteriores del cuento.

En 1874 aparece incluido en el tomo V de las *Obras completas.* Ésta puede considerarse verdadera edición-fuente aunque sea necesario señalar algunas anotaciones al texto.

En 1926 el Instituto de Literatura Argentina (Serie 4ª. Novela, Tomo 1), edita *El Matadero* bajo el cuidado de Jorge Max Rohde, texto completo y definitivo.

Entre las ediciones actuales es señalable la de Editorial Estrada: *Prosa Literaria de E. Echeverría,* Colección Clásicos Argentinos, bajo el cuidado de Roberto F. Giusti, quien tiene a su cargo el prólogo y las notas, 2a. edición de 1955. Se apoya en el texto de Gutiérrez, habiéndose "modernizado la acentuación y regularizado la puntuación".

Señalable por su cuidado es también la edición de Peuser, Buenos Aires, 1946. Prólogo y notas de Augusto Raúl Cortázar. Ilustraciones de Eleodoro E. Marenco.

Magnífica edición reciente es la de Juan Carlos Huergo, con prólogo del editor y con ilustraciones de litografía acuareladas a mano, 10 láminas a la acuarela y 10 en negro, todas debidas al trabajo personal, inspirado en palpable sentimiento de admiración, de Juan Carlos Huergo. Buenos Aires, 1962.

NUESTRA EDICIÓN

Para el texto que ofrecemos se ha tomado como base la edición de Gutiérrez, confrontándola con todas las ediciones posteriores mencionadas. Se ha modernizado la acentuación y se ha reproducido la puntuación de la Edición Estrada, cuidada por R. F. Giusti.

A pesar de que la mía es historia, no la empezaré por el arca de Noé y la genealogía de sus ascendientes como acostumbraban hacerlo los antiguos historiadores españoles de América, que deben ser nuestros prototipos. Tengo muchas razones para no seguir ese ejemplo, las que callo por no ser difuso. Diré solamente que los sucesos de mi narración pasaban por los años de Cristo de 183 1... Estábamos, a más, en cuaresma, época en que escasea la carne en Buenos Aires, porque la Iglesia, adoptando el precepto de Epicteto, *sustine, abstine* (sufre, abstente), ordena vigilia y abstinencia a los estómagos de los fieles a causa de que la carne es pecaminosa, y, como dice el proverbio, busca a la carne. Y como la Iglesia tiene *ab initio*, y por delegación directa de Dios, el imperio inmaterial sobre las conciencias y los estómagos, que en manera alguna pertenecen al individuo, nada más justo y racional que vede lo malo.

Los abastecedores, por otra parte, buenos federales, y por lo mismo buenos católicos, sabiendo que el pueblo de Buenos Aires atesora una docilidad singular para someterse a toda especie de mandamiento, sólo traen en días cuaresmales al matadero los novillos necesarios para el sustento de los niños y los enfermos dispensados de la abstinencia por la bula y no con el ánimo de que se harten algunos herejotes, que no faltan, dispuestos siempre a violar los mandamientos carnificinos de la Iglesia, y a contaminar la sociedad con el mal ejemplo[2].

Sucedió, pues, en aquel tiempo, una lluvia muy copiosa. Los caminos se anegaron; los pantanos se pusieron a nado y las calles de entrada y salida a la ciudad rebosaban en acuoso barro. Una tremenda avenida se precipitó de repente por el Riachuelo de Barracas, y extendió majestuo-

---

[1] ... *pasaban por los años de Cristo de 183* ... La época que se pinta en el cuento, queda definida con esta referencia y con la que se hace después al luto obligatorio que se debió guardar por la esposa del tirano (1838-1840).

[2] *Estábamos, a más, en cuaresma... ...con el mal ejemplo.* La indignación ha estallado en ironía.

samente sus turbias aguas hasta el pie de las barrancas del Alto. El Plata, creciendo embravecido, empujó esas aguas que venían buscando su cauce y las hizo correr hinchadas por sobre campos, terraplenes, arboledas, caseríos, y extenderse como un lago inmenso por todas las bajas tierras. La ciudad circunvalada del norte al oeste por una cintura de agua y barro, y al sud por un piélago blanquecino en cuya superficie flotaban a la ventura algunos barquichuelos y negreaban las chimeneas y las copas de los árboles, echaba desde sus torres y barrancas atónitas miradas al horizonte como implorando la protección del Altísimo. Parecía el amago de un nuevo diluvio. Los beatos y beatas gimoteaban haciendo novenarios y continuas plegarias. Los predicadores atronaban el templo y hacían crujir el púlpito a puñetazos. "Es el día del juicio —decían—, el fin del mundo está por venir. La cólera divina rebosando se derrama en inundación. ¡Ay de vosotros, pecadores! ¡Ay de vosotros, unitarios impíos que os mofáis de la Iglesia, de los santos, y no escucháis con veneración la palabra de los ungidos del Señor! ¡Ah de vosotros si no imploráis misericordia al pie de los altares! Llegará la hora tremenda del vano crujir de dientes y de las frenéticas imprecaciones. Vuestra impiedad, vuestras herejías, vuestras blasfemias, vuestros crímenes horrendos, han traído sobre nuestra tierra las plagas del Señor. La justicia del Dios de la Federación os declarará malditos".

Las pobres mujeres salían sin aliento, anonadadas del templo, echando, como era natural, la culpa de aquella calamidad a los unitarios[3].

Continuaba, sin embargo, lloviendo a cántaros, y la inundación crecía, acreditando el pronóstico de los predicadores. Las campanas comenzaron a tocar rogativas por orden del muy católico Restaurador, quien parece no las tenía todas consigo. Los libertinos, los incrédulos, es decir, los unitarios, empezaron a amedrentarse al ver tanta cara compungida, oír tanta batahola de imprecaciones. Se hablaba ya, como de cosa resuelta, de una procesión en que debía

---

[3] *Parecía el amago de un nuevo diluvio . . . . . . de aquella calamidad a los unitarios, y siguientes.* El autor ironiza poniendo de manifiesto la entrega del clero de entonces a la política gubernamental.

ir toda la población descalza y a cráneo descubierto, acompañando al Altísimo, llevado bajo palio por el obispo, hasta la barranca de Balcarce, donde millares de voces, conjurando al demonio unitario de la inundación, debían implorar la misericordia divina.

Feliz, o mejor, desgraciadamente, pues la cosa habría sido de verse, no tuvo efecto la ceremonia, porque bajando el Plata, la inundación se fue poco a poco escurriendo en su inmenso lecho, sin necesidad de conjuro ni plegarias.

Lo que hace principalmente a mi historia es que por causa de la inundación estuvo quince días el matadero de la Convalecencia sin ver una sola cabeza vacuna, y que en uno o dos, todos los bueyes de quinteros y *aguateros*[4] se consumieron en el abasto de la ciudad. Los pobres niños y enfermos se alimentaban con huevos y gallinas, y los gringos y herejotes bramaban por el *beefsteak* y el asado. La abstinencia de carne era general en el pueblo, que nunca se hizo más digno de la bendición de la Iglesia, y así fue que llovieron sobre él millones y millones de indulgencias plenarias. Las gallinas se pusieron a 6 $ y los huevos a 4 reales,[5] y el pescado carísimo. No hubo en aquellos días cuaresmales promiscuaciones[6] ni excesos de gula; pero, en cambio, se fueron derecho al cielo inumerables ánimas, y acontecieron cosas que parecen soñadas.

No quedó en el matadero ni un solo ratón vivo de muchos millares que allí tenían albergue. Todos murieron o de hambre o ahogados en sus cuevas por la incesante lluvia. Multitud de negras rebusconas de *achuras*, como los caranchos de presa, se desbandaron por la ciudad como otras tantas arpías prontas a devorar cuanto hallaran comible. Las gaviotas y los perros, inseparables rivales suyos en el matadero, emigraron en busca de alimento animal. Porción de viejos achacosos cayeron en consunción por falta de nutritivo caldo; pero lo más notable que sucedió fue el fallecimiento casi repentino de unos cuantos gringos herejes, que cometieron el desacato de darse un hartazgo de chorizos de Extremadura, jamón y bacalao, y se fueron al

---

[4] *aguateros*. Argentinismo, por aguadores.

[5] *real*. Moneda de plata de la época, de poco valor.

[6] *promiscuaciones*. Por promiscuidades.

otro mundo a pagar el pecado cometido por tan abominable promiscuación.

Algunos médicos opinaron que si la carencia de carne continuaba, medio pueblo caería en síncope por estar los estómagos acostumbrados a su corroborante jugo;[7] y era de notar el contraste entre estos tristes pronósticos de la ciencia y los anatemas lanzados desde el púlpito por los reverendos padres contra toda clase de nutrición animal y de promiscuación en aquellos días destinados por la Iglesia al ayuno y la penitencia. Se originó de aquí una especie de guerra intestina entre los estómagos y las conciencias, atizada por el inexorable apetito, y las no menos inexorables vociferaciones de los ministros de la Iglesia, quienes, como es su deber, no transigen con vicio alguno que tienda a relajar las costumbres católicas: a lo que se agregaba el estado de flatulencia intestinal de los habitantes, producido por el pescado y los porotos y otros alimentos algo indigestos.

Esta guerra se manifestaba por sollozos y gritos descompasados en la peroración de los sermones y por rumores y estruendos subitáneos en las casas y calles de la ciudad o dondequiera concurrían gentes. Alarmóse un tanto el gobierno, tan paternal como previsor del Restaurador, creyendo aquellos tumultos de origen revolucionario y atribuyéndolos a los mismos salvajes unitarios, cuyas impiedades, según los predicadores federales, habían traído sobre el país la inundación de la cólera divina; tomó activas providencias, desparramó a sus esbirros por la población, y por último, bien informado, promulgó un decreto tranquilizador de las conciencias y de los estómagos, encabezado por un considerando muy sabio y piadoso para que a todo trance, y arremetiendo por agua y todo, se trajese ganado a los corrales.

En efecto, el decimosexto día de la carestía, víspera del día de Dolores, entró a vado por el paso de Burgos al matadero del Alto una tropa de cincuenta novillos gordos; cosa poca por cierto para una población acostumbrada a con-

---

[7] *por estar los estómagos acostumbrados a su corroborante jugo.* Documentación de la costumbre de alimentarse principalmente de carne, derivada de la economía ganadera del país.

sumir diariamente de 250 á 300, y cuya tercera parte al menos gozaría del fuero eclesiástico de alimentarse con carne. ¡Cosa extraña que haya estómagos privilegiados y estómagos sujetos a leyes inviolables y que la Iglesia tenga la llave de los estómagos!

Pero no es extraño, supuesto que el diablo con la carne suele meterse en el cuerpo y que la Iglesia tiene el poder de conjurarlo: el caso es reducir al hombre a una máquina cuyo móvil principal no sea su voluntad sino la de la Iglesia y el gobierno. Quizá llegue el día en que sea prohibido respirar aire libre, pasearse y hasta conversar con un amigo, sin permiso de autoridad competente. Así era, poco más o menos, en los felices tiempos de nuestros beatos abuelos, que por desgracia vino a turbar la revolución de Mayo[8].

Sea como fuera, a la noticia de la providencia gubernativa, los corrales del Alto se llenaron, a pesar del barro, de carniceros, de *achuradores* y de curiosos, quienes recibieron con grandes vociferaciones y palmoteos los cincuenta novillos destinados al matadero.

—Chica, pero gorda —exclamaban—. ¡Viva la Federación! ¡Viva el Restaurador!

Porque han de saber los lectores que en aquel tiempo la Federación estaba en todas partes, hasta entre las inmundicias del matadero, y no había fiesta sin Restaurador como no hay sermón sin San Agustín. Cuentan que al oír tan desaforados gritos las últimas ratas que agonizaban de hambre en sus cuevas, se reanimaron y echaron a correr desatentadas, conociendo que volvían a aquellos lugares la acostumbrada alegría y la algazara precursora de abundancia.

El primer novillo que se mató fue todo entero de regalo al Restaurador, hombre muy amigo del asado. Una comisión de carniceros marchó a ofrecérselo en nombre de los federales del matadero, manifestándole *in voce* su agradecimiento por la acertada providencia del gobierno, su adhesión ilimitada al Restaurador y su odio entrañable a los

<hr />

[8] *...que por desgracia vino a turbar la revolución de Mayo.* Queja de la situación política bajo la dictadura. Echeverría portador de los ideales de Mayo, la vincula con la situación en la época colonial, y expresa su pensamiento con ironía.

salvajes unitarios, enemigos de Dios y de los hombres. El Restaurador contestó a la arenga, *rinforzando* sobre el mismo tema, y concluyó la ceremonia con los correspondientes vivas y vociferaciones de los espectadores y actores. Es de creer que el Restaurador tuviese permiso especial de su Ilustrísima para no abstenerse de carne, porque siendo tan buen observador de las leyes, tan buen católico y tan acérrimo protector de la religión, no hubiera dado mal ejemplo aceptando semejante regalo en día santo.

Siguió la matanza, y en un cuarto de hora cuarenta y nueve novillos se hallaban tendidos en la plaza del matadero, desollados unos, los otros por desollar. El espectáculo que ofrecía entonces era animado y pintoresco, aunque reunía todo lo horriblemente feo, inmundo y deforme de una pequeña clase proletaria peculiar del Río de la Plata. Pero para que el lector pueda percibirlo a un golpe de ojo, preciso es hacer un croquis de la localidad.

El matadero de la Convalecencia o del Alto, sito en las quintas al sur de la ciudad, es una gran playa en forma rectangular, colocada al extremo de dos calles, una de las cuales allí termina y la otra se prolonga hasta el este. Esta playa, con declive al sur, está cortada por un zanjón labrado por la corriente de las aguas pluviales, en cuyos bordes laterales se muestran inumerables cuevas de ratones y cuyo cauce recoge en tiempo de lluvia toda la sangranza seca o reciente del matadero. En la junción del ángulo recto, hacia el oeste, está lo que llaman la casilla, edificio bajo, de tres piezas de media agua con corredor al frente que da a la calle y palenque para atar caballos, a cuya espalda se notan varios corrales de palo a pique de ñandubay con sus fornidas puertas para encerrar el ganado[9].

Estos corrales son en tiempo de invierno un verdadero lodazal, en el cual los animales apeñuscados se hunden hasta el encuentro, y quedan como pegados y casi sin movimiento. En la casilla se hace la recaudación del impuesto de corrales, se cobran las multas por violación de regla-

[9] Cuadros de época que sirven de testimonio y documento. Obsérvese su detallada minuciosidad.

mentos y se sienta el juez del matadero, personaje importante, caudillo de los carniceros y que ejerce la suma del poder en aquella pequeña república, por delegación del Restaurador. Fácil es calcular qué clase de hombre se requiere para el desempeño de semejante cargo. La casilla, por otra parte, es un edificio tan ruin y pequeño que nadie lo notaría en los corrales a no estar asociado su nombre al del terrible juez y no resaltar sobre su blanca cintura los siguientes letreros rojos: "Viva la Federación", "Viva el Restaurador y la heroica doña Encarnación Ezcurra", "Mueran los salvajes unitarios". Letreros muy significativos, símbolo de la fe política y religiosa de la gente del matadero. Pero algunos lectores no sabrán que tal heroína es la difunta esposa del Restaurador, patrona muy querida de los carniceros, quienes, ya muerta, la veneraban por sus virtudes cristianas y su federal heroísmo en la revolución contra Balcarce. Es el caso que en un aniversario de aquella memorable hazaña de la mazorca, los carniceros festejaron con un espléndido banquete en la casilla de la heroína, banquete a que concurrió con su hija y otras señoras federales, y que allí, en presencia de un gran concurso, ofreció a los señores carniceros en un solemne brindis su federal patrocinio, por cuyo motivo ellos la proclamaron entusiasmados patrona del matadero, estampando su nombre en las paredes de la casilla, donde estará hasta que lo borre la mano del tiempo.

La perspectiva del matadero a la distancia era grotesca, llena de animación. Cuarenta y nueve reses estaban tendidas sobre sus cueros, y cerca de doscientas personas hollaban aquel suelo de lodo regado con la sangre de sus arterias. En torno de cada res resaltaba un grupo de figuras humanas de tez y raza distinta. La figura más prominente de cada grupo era el carnicero con el cuchillo en mano, brazo y pecho desnudos, cabello largo y revuelto, camisa y chiripá y rostro embadurnado de sangre. A sus espaldas se rebullían, caracoleando y siguiendo los movimientos, una comparsa de muchachos, de negras y mulatas achuradoras, cuya fealdad trasuntaba las arpías de las fábula, y entremezclados con ellas algunos enormes mastines, olfateaban, gruñían o se daban de tarascones por la presa.

Cuarenta y tantas carretas, toldadas con negruzco y pelado cuero, se escalonaban irregularmente a lo largo de la playa, y algunos jinetes con el poncho calado y el lazo prendido al tiento cruzaban por entre ellas al tranco o reclinados sobre el pescuezo de los caballos echaban ojo indolente sobre uno de aquellos animados grupos, al paso que más arriba, en el aire, un enjambre de gaviotas blanquiazules, que habían vuelto de la emigración al olor de carne, revoloteaban, cubriendo con su disonante graznido todos los ruidos y voces del matadero y proyectando una sombra clara sobre aquel campo de horrible carnicería. Esto se notaba al principio de la matanza.

Pero a medida que adelantaba, la perspectiva variaba; los grupos se deshacían, venían a formarse tomando diversas actitudes y se desparramaban corriendo como si en medio de ellos cayese alguna bala perdida, o asomase la quijada de algún encolerizado mastín. Esto era que el carnicero en un grupo descuartizaba a golpe de hacha, colgaba en otros los cuartos en los ganchos a su carreta, despellejaba en éste, sacaba el sebo en aquél; de entre la chusma que ojeaba y aguardaba la presa de achura, salía de cuando en cuando una mugrienta mano a dar un tarazón con el cuchillo al sebo o a los cuartos de la res, lo que originaba gritos y explosión de cólera del carnicero y el continuo hervidero de los grupos, dichos y gritería descompasada de los muchachos.

—Ahí se mete el sebo en las tetas, la tipa —gritaba uno.

—Aquél lo escondió en el alzapón —replicaba la negra.

—Che, negra bruja, salí de aquí antes de que te pegue un tajo —exclamaba el carnicero.

—¿Qué le hago, ño Juan? ¡No sea malo! Yo no quiero sino la panza y las tripas.

—Son para esa bruja: a la m...

—¡A la bruja! ¡A la bruja! —repitieron los muchachos—. ¡Se lleva la riñonada y el tongorí! —Y cayeron sobre su cabeza sendos cuajos de sangre y tremendas pelotas de barro [10].

---

[10] *...y tremendas pelotas de barro.* El diálogo realista pinta el ser de la clase proletaria, degradada por el despotismo, la ignorancia y la miseria.

Hacia otra parte, entretanto, dos africanas llevaban arrastrando las entrañas de un animal; allá una mulata se alejaba con un ovillo de tripas y resbalando de repente sobre un charco de sangre, caía a plomo, cubriendo con su cuerpo la codiciada presa. Acullá se veían acurrucadas en hilera 400 negras destejiendo sobre las faldas el ovillo y arrancando, uno a uno, los sebitos que el avaro cuchillo del carnicero había dejado en la tripa como rezagados, al paso que otras vaciaban las panzas y vejigas y las henchían de aire de sus pulmones para depositar en ellas, luego de secas, la achura[11].

Varios muchachos, gambeteando a pie y a caballo, se daban de vejigazos o se tiraban bolas de carne, desparramando con ellas y su algazara la nube de gaviotas que, columpiándose en el aire, celebraban chillando la matanza. Oíanse a menudo, a pesar del veto del Restaurador y de la santidad del día, palabras inmundas y obscenas, vociferaciones preñadas de todo el cinismo bestial que caracteriza a la chusma de nuestros mataderos, con las cuales no quiero regalar a los lectores.

De repente caía un bofe sangriento sobre la cabeza de alguno, que de allí pasaba a la de otro, hasta que algún deforme mastín lo hacía buena presa, y una cuadrilla de otros, por si estrujo o no estrujo, armaba una tremenda de gruñidos y mordiscones. Alguna tía vieja furiosa en persecución de un muchacho que le había embadurnado el rostro con sangre, y acudiendo a sus gritos y puteadas los compañeros del rapaz, la rodeaban y azuzaban como los perros al toro, y llovían sobre ella zoquetes de carne, bolas de estiércol, con groseras carcajadas y gritos frecuentes, hasta que el juez mandaba restablecer el orden y despejar el campo[12].

Por un lado dos muchachos se adiestraban en el manejo del cuchillo, tirándose horrendos tajos y reveses; por otro, cuatro, ya adolescentes, ventilaban a cuchilladas el derecho a una tripa gorda y un mondongo que habían robado a un carnicero; y no de ellos distante, porción de perros, flacos ya de la forzosa abstinencia, empleaban el mismo

[11] Escenas que muestran el estado socioeconómico.
[12] Actitud de examen y denuncia de las costumbres.

medio para saber quién se llevaría un hígado envuelto en barro. Simulacro en pequeño era éste del modo bárbaro con que se ventilan en nuestro país las cuestiones y los derechos individuales y sociales[13]. En fin, la escena que se representaba en el matadero era para vista, no para escrita

Un animal había quedado en los corrales, de corta y ancha cerviz, de mirar fiero, sobre cuyos órganos genitales no estaban conformes los pareceres, porque tenía apariencia de toro y de novillo. Llególe la hora. Dos enlazadores a caballo penetraron en el corral en cuyo contorno hervía la chusma a pie, a caballo y horqueteada sobre sus nudosos palos. Formaban en la puerta el más grotesco y sobresaliente grupo, varios pialadores y enlazadores de a pie con el brazo desnudo y armado del certero lazo, la cabeza cubierta con un pañuelo punzó y chaleco y chiripá colorado, teniendo a sus espaldas varios jinetes y espectadores de ojo escrutador y anhelante.

El animal, prendido ya al lazo por las astas, bramaba echando espuma furibundo, y no había demonio que lo hiciera salir del pegajoso barro, donde estaba como clavado y era imposible pialarlo. Gritábanle, lo azuzaban en vano con las mantas y pañuelos los muchachos que estaban prendidos sobre las horquetas del corral, y era de oír la disonante batahola de silbidos, palmadas y voces, tiples y roncas que se desprendía de aquella singular orquesta.

Los dicharachos, las exclamaciones chistosas y obscenas rodaban de boca en boca, y cada cual hacía alarde espontáneamente de su ingenio y de su agudeza, excitado por el espectáculo o picado por el aguijón de alguna lengua locuaz.

—Hi de p... en el toro.

—Al diablo los torunos del Azul.

—Malhaya el tropero que nos da gato por liebre.

—Si es novillo.

—¿No está viendo que es toro viejo?

[13] *Simulacro en pequeño... ... los derechos individuales y sociales.* La descripción y narración realistas, van desembocando en el designio político: empieza a usarse el tema con propósito alegórico.

82

—Como toro le ha de quedar. ¡Muéstreme los c... si le parece, c...o!

—Ahí los tiene entre las piernas. ¿No los ve, amigo, más grandes que la cabeza de su castaño, o se ha quedado ciego en el camino?

—Su madre sería la ciega, pues que tal hijo ha parido. ¿No ve que todo ese bulto es barro?

—Es emperrado y arisco como un unitario.

Y al oír esta mágica palabra, todos a una voz exclamaron: ¡Mueran los salvajes unitarios!

—Para el tuerto los h...

—Sí, para el tuerto, que es hombre de c... para pelear con los unitarios. El matambre a Matasiete, degollador de unitarios. ¡Viva Matasiete!

—A Matasiete el matambre.

—Allá va —gritó una voz ronca, interrumpiendo aquellos desahogos de la cobardía feroz—. ¡Allá va el toro!

—¡Alerta! ¡Guarda los de la puerta! ¡Allá va furioso como un demonio!

Y en efecto, el animal acosado por los gritos y sobre todo por dos picanas agudas que le espoleaban la cola, sintiendo flojo el lazo, arremetió bufando a la puerta, lanzando a entrambos lados una rojiza y fosfórica mirada. Dióle el tirón el enlazador sentando su caballo, desprendió el lazo del asta, crujió por el aire un áspero zumbido y al mismo tiempo se vio rodar desde lo alto de una horqueta del corral, como si un golpe de hacha lo hubiese dividido a cercén, una cabeza de niño cuyo tronco permaneció inmóvil sobre su caballo de palo, lanzando por cada arteria un largo chorro de sangre.

—¡Se cortó el lazo! —gritaron unos—. ¡Allá va el toro!

Pero otros, deslumbrados y atónitos, guardaron silencio, porque todo fue como un relámpago.

Desparramóse un tanto el grupo de la puerta. Una parte se agolpó sobre la cabeza y el cadáver palpitante del muchacho degollado por el lazo, manifestando horror en sus atónitos semblantes, y la otra parte, compuesta de jinetes que no vieron la catástrofe, se escurrió en distintas direcciones en pos del toro, vociferando y gritando: ¡Allá va el toro! ¡Atajen! ¡Guarda! ¡Enlaza, Sietepelos! ¡Que te agarra, Botija! ¡Va furioso; no se le pongan delante! ¡Ataja, ataja, morado! ¡Dele espuela al mancarrón ¡Ya se metió en la calle sola! ¡Que lo ataje el diablo!

El tropel y vocifería era infernal. Unas cuantas negras achuradoras, sentadas en hilera al borde del zanjón, oyendo el tumulto se acogieron y agazaparon entre las panzas y tripas que desenredaban y devanaban con la paciencia de Penélope, lo que sin duda las salvó, porque el animal lanzó al mirarlas un bufido aterrador, dio un brinco sesgado y siguió adelante perseguido por los jinetes. Cuentan que una de ellas se fue de cámaras; otra rezó diez salves en dos minutos, y dos prometieron a San Benito no volver jamás a aquellos malditos corrales y abandonar el oficio de achuradoras. No se sabe si cumplieron la promesa.

El toro, entretanto, tomó hacia la ciudad por una larga y angosta calle que parte de la punta más aguda del rectángulo anteriormente descripto, calle encerrada por una zanja y un cerco de tunas, que llaman *sola* por no tener más de dos casas laterales, y en cuyo aposado centro había un profundo pantano que tomaba de zanja a zanja. Cierto inglés, de vuelta de su saladero, vadeaba este pantano a la sazón, paso a paso, en un caballo algo arisco, y, sin duda, iba tan absorto en sus cálculos que no oyó el tropel de jinetes ni la gritería sino cuando el toro arremetía el pantano. Azoróse de repente su caballo dando un brinco al sesgo y echó a correr, dejando al pobre hombre hundido media vara en el fango. Este accidente, sin embargo, no detuvo ni frenó la carrera de los perseguidores del toro, antes al contrario, soltando carcajadas sarcásticas: "Se amoló el gringo; levantate gringo" —exclamaron, cruzando el pantano, y amasando con barro bajo las patas de sus caballos su miserable cuerpo. Salió el gringo, como pudo, después a la orilla, más con la apariencia de un demonio tostado por las llamas del infierno que un hombre blanco pelirrubio. Más adelante, al grito de ¡al toro!, cuatro negras achuradoras que se retiraban con su presa, se zambulleron en la zanja llena de agua, único refugio que les quedaba.

El animal, entretanto, después de haber corrido unas 20

cuadras en distintas direcciones azorando con su presencia a todo viviente, se metió por la tranquera de una quinta, donde halló su perdición. Aunque cansado, manifestaba brío y colérico ceño; pero rodeábalo una zanja profunda y un tupido cerco de pitas, y no había escape. Juntáronse luego sus perseguidores que se hallaban desbandados, y resolvieron llevarlo en un señuelo de bueyes para que expiase su atentado en el lugar mismo donde lo había cometido.

Una hora después de su fuga el toro estaba otra vez en el matadero, donde la poca chusma que había quedado no hablaba sino de sus fechorías. La aventura del gringo en el pántano, excitaba principalmente la risa y el sarcasmo. Del niño degollado por el lazo no quedaba sino un charco de sangre: su cadáver estaba en el cementerio.

Enlazaron muy luego por las astas al animal, que brincaba haciendo hincapié y lanzando roncos bramidos. Echáronle uno, dos, tres piales; pero infructuosos: al cuarto quedó prendido de una pata: su brío y su furia redoblaron; su lengua, estirándose convulsiva, arrojaba espuma, su nariz humo, sus ojos miradas encendidas.

—¡Desjarreten ese animal! —exclamó una voz imperiosa. Matasiete se tiró al punto del caballo, cortóle el garrón de una cuchillada y gambeteando en torno de él con su enorme daga en mano, se la hundió al cabo hasta el puño en la garganta, mostrándola en seguida humeante y roja a los espectadores. Brotó un torrente de la herida, exhaló algunos bramidos roncos, y cayó el soberbio animal entre los gritos de la chusma que proclamaban a Matasiete vencedor y le adjudicaba en premio el matambre. Matasiete extendió, como orgulloso, por segunda vez, el brazo y el cuchillo ensangrentado, y se agachó a desollarlo con otros compañeros.

Faltaba que resolver la duda sobre los órganos genitales del muerto, clasificado provisoriamente de toro por su indomable fiereza; pero estaban todos tan fatigados de la larga tarea, que lo echaron por lo pronto en olvido. Mas de repente una voz ruda exclamó:

—Aquí están los huevos —sacando de la barriga del animal y mostrando a los espectadores dos enormes testículos, signo inequívoco de su dignidad de toro. La risa y la charla fue grande; todos los incidentes desgraciados pudieron fácilmente explicarse. Un toro en el matadero era cosa muy rara, y aun vedada. Aquél, según reglas de buena policía, debía arrojarse a los perros; pero había tanta escasez de carne y tantos hambrientos en la población que el señor Juez tuvo a bien hacer ojo lerdo.

En dos por tres estuvo desollado, descuartizado y colgado en la carreta el maldito toro. Matasiete colocó el matambre bajo el pellón de su recado y se preparaba a partir. La matanza estaba concluida a las 12, y la poca chusma que había presenciado hasta el fin, se retiraba en grupos de a pie y de a caballo, o tirando a la cincha algunas carretas cargadas de carne.

Mas de repente la ronca voz de un carnicero gritó:

—¡Allí viene un unitario! —y al oír tan significativa palabra toda aquella chusma se detuvo como herida de una impresión subitánea.

—¿No le ven la patilla en forma de U? No trae divisa en el fraque ni luto en el sombrero.

—Perro unitario.

—Es un cajetilla.

—Monta en silla como los gringos.

—La Mazorca con él.

—¡La tijera!

—Es preciso sobarlo.

—Trae pistoleras por pintar[14].

—Todos estos cajetillas unitarios son pintores como el diablo.

—¿A que no te le animas, Matasiete?

—¿A que no?

—A que sí.

Matasiete era hombre de pocas palabras y de mucha acción. Tratándose de violencia, de agilidad, de destreza en el hacha, el cuchillo o el caballo, no hablaba y obraba. Lo habían picado: prendió la espuela a su caballo y se lanzó a brida suelta al encuentro del unitario.

Era éste un joven como de 25 años, de gallarda y bien

[14] *pintar*. Es la acepción vulgar de *alardear*.

apuesta persona, que mientras salían en borbotones de aquellas desaforadas bocas las anteriores exclamaciones, trotaba hacia Barracas, muy ajeno de temer peligro alguno. Notando, empero, las significativas miradas de aquel grupo de dogos de matadero, echa maquinalmente la diestra sobre las pistoleras de su silla inglesa, cuando una pechada al sesgo del caballo de Matasiete lo arroja de los lomos del suyo tendiéndolo a la distancia boca arriba y sin movimiento alguno.

—¡Viva Matasiete! —exclamó toda aquella chusma, cayendo en tropel sobre la víctima como los caranchos rapaces sobre la osamenta de un buey devorado por el tigre.

Atolondrado todavía el joven, fue, lanzando una mirada de fuego sobre aquellos hombres feroces, hacia su caballo que permanecía inmóvil no muy distante, a buscar en sus pistolas el desagravio y la venganza. Matasiete dando un salto le salió al encuentro y con fornido brazo asiéndolo de la corbata lo tendió en el suelo tirando al mismo tiempo la daga de la cintura y llevándola a su garganta.

Una tremenda carcajada y un nuevo viva estentóreo[15] volvió a vitorearlo.

¡Qué nobleza de alma! ¡Qué bravura en los federales! Siempre en pandillas cayendo como buitres sobre la víctima inerte!

—Degüéllalo, Matasiete; quiso sacar las pistolas. Degüéllalo como al toro.

—Pícaro unitario. Es preciso tusarlo.

—Tiene buen pescuezo para el violín.

—Mejor es la resbalosa.

—Probaremos —dijo Matasiete, y empezó sonriendo a pasar el filo de su daga por la garganta del caído, mientras con la rodilla izquierda le comprimía el pecho y con la siniestra mano le sujetaba por los cabellos.

—No, no lo degüellen —exclamó de lejos la voz impotente del Juez del Matadero que se acercaba a caballo.

—A la casilla con él, a la casilla. Preparen la mazorca y las tijeras. ¡Mueran los salvajes unitarios! ¡Viva el Restaurador de las leyes!

---

[15] *estentóreo*. La versión de Gutiérrez dice *estertorio*.

—¡Viva Matasiete!

—"¡Mueran!" "¡Vivan! —repitieron en coro los espectadores, y atándolo codo con codo, entre moquetes y tirones, entre vociferaciones e injurias, arrastraron al infeliz joven al banco del tormento, como los sayones al Cristo.

La sala de la casilla tenía en su centro una grande y fornida mesa de la cual no salían los vasos de bebida y los naipes sino para dar lugar a las ejecuciones y torturas de los sayones federales del matadero. Notábase además en un rincón otra mesa chica con recado de escribir y un cuaderno de apuntes y porción de sillas entre las que resaltaba un sillón de brazos destinado para el juez. Un hombre, soldado en apariencia, sentado en una de ellas, cantaba al son de la guitarra la resbalosa, tonada de inmensa popularidad entre los federales, cuando la chusma llegando en tropel al corredor de la casilla lanzó a empellones al joven unitario hacia el centro de la sala.

—A tí te toca la resbalosa —gritó uno.

—Encomienda tu alma al diablo.

—Está furioso como un toro montaraz.

—Ya te amansará el palo.

—Es preciso sobarlo.

—Por ahora verga y tijera.

—Si no, la vela.

—Mejor será la mazorca.

—Silencio y sentarse —exclamó el juez dejándose caer sobre un sillón. Todos obedecieron, mientras el joven de pie, encarando al juez, exclamó con voz preñada de indignación:

—¡Infames sayones!, ¿qué intentan hacer de mí?

—¡Calma! —dijo sonriendo el juez—. No hay que encolerizarse. Ya lo verás.

El joven, en efecto, estaba fuera de sí de cólera. Todo su cuerpo parecía estar en convulsión. Su pálido y amoratado rostro, su voz, su labio trémulo, mostraban el movimiento convulsivo de su corazón, la agitación de sus nervios. Sus ojos de fuego parecían salirse de las órbitas, su negro y lacio cabello se levantaba erizado. Su cuello desnudo y la pechera de su camisa dejaban entrever el latido violento de sus arterias y la respiración anhelante de sus pulmones.

—¿Tiemblas? —le dijo el juez.

—De rabia porque no puedo sofocarte entre mis brazos.

—¿Tendrías fuerza y valor para eso?

—Tengo de sobra voluntad y coraje para ti, infame.

—A ver las tijeras de tusar mi caballo: túsenlo a la federala.

Dos hombres le asieron, uno de la ligadura del brazo, otro de la cabeza y en un minuto cortáronle la patilla que poblaba toda su barba por bajo, con risa estrepitosa de sus espectadores.

—A ver —dijo el juez—, un vaso de agua para que se refresque.

—Uno de hiel te daría yo a beber, infame.

Un negro petiso púsosele al punto delante con un vaso de agua en la mano. Dióle el joven un puntapié en el brazo y el vaso fue a estrellarse en el techo, salpicando el asombrado rostro de los espectadores.

—Éste es incorregible.

—Ya lo domaremos.

—Silencio —dijo el juez—. Ya estás afeitado a la federala, sólo te falta el bigote. Cuidado con olvidarlo. Ahora vamos a cuenta. ¿Por qué no traes divisa?

—Porque no quiero.

—¿No sabes que lo manda el Restaurador?

—La librea es para vosotros, esclavos, no para los hombres libres.

—A los libres se les hace llevar a la fuerza.

—Sí, la fuerza y la violencia bestial. Ésas son vuestras armas, infames. ¡El lobo, el tigre, la pantera, también son fuertes como vosotros! Deberíais andar como ellos, en cuatro patas[16].

—¿No temes que el tigre te despedace?

—Lo prefiero a que maniatado me arranquen, como el cuervo, una a una las entrañas.

—¿Por qué no llevar luto en el sombrero por la heroína?

---

[16] Echeverría ha puesto definitivamente en boca del personaje el discurso que él desearía gritar.

—Porque lo llevo en el corazón por la patria que vosotros habéis asesinado, infames.

—¿No sabes que así lo dispuso el Restaurador?

—Lo dispusisteis vosotros, esclavos, para lisonjear el orgullo de vuestro señor, y tributarle vasallaje infame.

—¡Insolente! Te has embravecido mucho. Te haré cortar la lengua si chistas. Abajo los calzones a ese mentecato cajetilla y a nalga pelada denle verga, bien atado sobre la mesa.

Apenas articuló esto el juez, cuatro sayones salpicados de sangre, suspendieron al joven y lo tendieron largo a largo sobre la mesa comprimiéndole todos sus miembros.

—Primero degollarme que desnudarme, infame canalla.

Atáronle un pañuelo a la boca y empezaron a tironear sus vestidos. Encogíase el joven, pateaba, hacía rechinar los dientes. Tomaban ora sus miembros la flexibilidad del junco, ora la dureza del fierro y su espina dorsal era el eje de un movimiento parecido al de la serpiente. Gotas de sudor fluían por su rostro, grandes como perlas; echaban fuego sus pupilas, su boca espuma, y las venas de su cuello y frente negreaban en relieve sobre su blanco cutis como si estuvieran repletas de sangre.

—Átenlo primero —exclamó el juez.

—Está rugiendo de rabia —articuló un sayón.

En un momento liaron sus piernas en ángulo a los cuatro pies de la mesa, volcando su cuerpo boca abajo. Era preciso hacer igual operación con las manos, para lo cual soltaron las ataduras que las comprimían en la espalda. Sintiéndoselas libres el joven, por un movimiento brusco en el cual pareció agotarse toda su fuerza y vitalidad, se incorporó primero sobre sus brazos, después sobre sus rodillas y se desplomó al momento murmurando:

—Primero degollarme que desnudarme, infame canalla.

Sus fuerzas se habían agotado.

Inmediatamente quedó atado en cruz y empezaron la obra de desnudarlo. Entonces un torrente de sangre brotó borbolloneando de la boca y las narices del joven, y extendiéndose empezó a caer a chorros por entrambos lados de la mesa. Los sayones quedaron inmóviles y los espectadores estupefactos.

—Reventó de rabia el salvaje unitario —dijo uno.

—Tenía un río de sangre en las venas —articuló otro.

—Pobre diablo, queríamos únicamente divertirnos con él y tomó la cosa demasiado a lo serio —exclamó el juez frunciendo el ceño de tigre—. Es preciso dar parte; desántenlo y vamos.

Verificaron la orden; echaron llave a la puerta y en un momento se escurrió la chusma en pos del caballo del juez cabizbajo y taciturno.

Los federales habían dado fin a una de sus innumerables proezas.

En aquel tiempo los carniceros degolladores del matadero, eran los apóstoles que propagaban a verga y puñal la federación rosina, y no es difícil imaginarse qué federación saldría de sus cabezas y cuchillas. Llamaban ellos salvaje unitario, conforme a la jerga inventada por el Restaurador, patrón de la cofradía, a todo el que no era degollador, carnicero, ni salvaje, ni ladrón; a todo hombre decente y de corazón bien puesto, a todo patriota ilustrado amigo de las luces y de la libertad; y por el suceso anterior puede verse a las claras que el foco de la federación estaba en el matadero.

ALGUNOS JUICIOS CRÍTICOS
SOBRE EL MATADERO

1. De JUAN MARÍA GUTIÉRREZ:

El poeta no estaba sereno cuando realizaba la buena obra de escribir esta elocuente página del proceso contra la tiranía. Si esta página hubiera caído en manos de Rosas, su autor habría desaparecido instantáneamente. Él conocía bien el riesgo que corría; pero el temblor de la mano que se advierte en la imperfección de la escritura que casi no es visible en el manuscrito original, pudo más ser de ira que de miedo. Su indignación se manifiesta bajo la forma de la ironía. En una mirada descubre las afinidades que tienen entre sí todas las idolatrías y todos los fanatismos, y comienza por las escenas a que dan lugar los ritos cuaresmales, para descender por una pendiente natural que los mismos hechos establecen, hasta los asesinatos oficiales que son la consecuencia del fanatismo político inoculado en conciencias supersticiosas.

Los colores de este cuadro son altos y rojizos; pero no exagerados; porque sólo ellos remedan con propiedad la sangre, la lucha con el toro bravío, la pendencia cuerpo a cuerpo y al arma blanca, las jaurías de perros hambrientos, las bandadas de aves carnívoras, los grupos gárrulos de negras andrajosas y la vocería de los carniceros insolentes.

....

La escena del "salvaje unitario" en poder del "Juez del Matadero" y de sus satélites, no es una invención sino una realidad que más de una vez se repitió en aquella época aciaga: lo único que de este cuadro pudiera haber de la inventiva del autor, sería la apreciación moral y de la circunstancia, el lenguaje y la conducta de la víctima, la cual se conduce y obra como lo habría hecho el noble poeta en situación análoga.

(Advertencia que precedió a la primera edición de "Revista del Río de La Plata". 1871).

2. De ERNESTO MORALES:

Esto es *El Matadero:* una página vibrante y cálida donde la indignación del poeta que la escribió se hunde en el lodo sangriento de ese escenario de brutalidad y de matanza... La tiranía de Rosas, en su concepto material, que definida en esas treinta páginas de un artista de la pluma que supo enfrentarse a ella y sintetizarla.

En un tono que comienza por ser humorístico y que concluye en sátira y en descripción realista, *El Matadero* pinta a los personajes del suburbio, el año 1839 o comienzos del 40, cuando la tiranía de Rosas llegaba a su mayor poder...

La descripción de un toro que se escapa y es perseguido hasta recibir la muerte, llega a lo épico. La pluma de Echeverría corre segura, sobria, pujante...

Estos comentarios al margen de la acción del cuento y el lenguaje del joven unitario, excesivamente retórico, impiden quizás que *El Matadero* sea una obra perfecta; pero es, fuera de dudas, una página de singular maestría. Y lo más valiente y veraz de toda nuestra antigua literatura. La narrativa argentina comienza así su existencia, promisoriamente, con una obra de realidad pocas veces igualada por sus sucesores.

El Matadero es con *La Cautiva* —más que La Cautiva—, la obra por la cual el nombre de Echeverría no desaparecerá. ¡Y qué alegato contra la tiranía de Rosas, contra todos los tiranos embrutecedores de pueblos!

> (*Esteban Echeverría*. Claridad. Buenos Aires. 1950).

3. De ROBERT BAZIN:

Cronológicamente, *El Matadero* es el primer cuento argentino. Echeverría abría el camino al realismo con una obra maestra. Los destazadores, las negras del arrabal, su lenguaje, la pintura de los tormentos del joven y de su muerte, definen un estilo vigoroso, audaz, que no retrocede ante el realismo lingüístico ni ante el realismo pintoresco. Es el camino que más tarde seguirá el cuento argentino.

> (*Historia de la Literatura americana*. 1958).

4. De RAFAEL ALBERTO ARRIETA:

El vigoroso realismo de *El matadero*, amasado con fango y sangre, constituyó una revelación sorprendente cuando la "Revista del Río de la Plata" lo dio a conocer en 1871. Gutiérrez creyó necesario precederlo de una explicación, donde excusó las crudezas del lenguaje en un bosquejo provisional que él consideraba semejante al croquis callejero que el pintor desarrollará más tarde, cabalmente, en su taller. Pero parece lo otro, es decir, la obra espaciosa y reflexivamente compuesta en un apartamiento propicio. Ninguna del autor la supera en nada. Las figuras inconfundibles y la acción animadísima; las viñetas ricas en detalles de incisión precisa; los diálogos y el vocabulario de insustituible eficacia; la distribución y la gradación de los elementos, acumulados por una observación minuciosa y extensa, que desemboca en el desenlace involuntario de una farsa trágica entre sanguinarios habituales; todo, por cierto, revela una realización meditada y retocada a la que el propósito político debió de conferir alcance de ejemplaridad.

> (*Historia de la literatura argentina*. T. II. 1958).

5. De FERNANDO ALEGRÍA:

El lector concluye fascinado la lectura del brevísimo relato. La alegoría es clara: no es de un Matadero que escribe Echeverría, sino de un país; no son animales los degollados, sino hombres; ese niño y ese joven que mueren, sangrando a chorros, mueren a diario, a toda hora, en todas partes de la Argentina. De pronto, adquieren sentido los vivas de los matarifes, los rótulos y pendones que agitan las negras. Sobre una tarima invisible, rodeado por un túmulo de cabezas degolladas, se adivina la presencia del tirano, comandando al borde mismo de una infernal arena donde millones de seres se acuchillan y destripan.

El ambiente es brutalmente real. En estilo directo, desnudo de todo afán retórico, Echeverría dispone sus elementos: el solar del Matadero, la sangre, las vísceras, la grasa; los matarifes, las negras, los niños, todos sucios y enloquecidos, disputándose las entrañas de los animales; poco a poco se integra esto en una visión sobrecogedora. Una locura salvaje se apodera del ambiente. Estallan los gritos, los insultos; gesticula la multitud. Cae la cabeza del niño como una cabeza de res al lodo. La asimilación de hombres y animales en la matanza se completa. Pero falta todavía un detalle: el sacrificio del joven unitario en la mesa del suplicio. La alegría ha nacido naturalmente. Todo se trasmuta sin interrupción. Los límites de la escena crecen hasta abarcar los confines del país. Las figuras humanas se multiplican. Las acciones y los objetos adquieren una premeditada significación. El fenómeno alegórico se ha consumado y *El Matadero* se convierte en un tremendo símbolo de la tiranía sangrienta, símbolo que emana de la fusión del hombre y el animal en la orgía de sangre y de muerte.

En los comienzos de la novela hispanoamericana el breve relato de Echeverría asume una importancia precursora. Sin ser una novela, propiamente tal, sino más bien un cuento largo, *El Matadero* enseña una lección de realismo alegórico que no será oída por los novelistas del siglo XIX, ocupados como están en el perfeccionamiento de un costumbrismo superficial, sino por los escritores neorealistas de la época moderna que sienten la necesidad de dar a la descripción del ambiente inmediato un fondo ideológico de valor universal.

> (*Breve historia de la novela hispano-americana.* 1959).

6. *De* MARTÍN GARCÍA MEROU:

Es el cuadro de *El Matadero,* una tela pintada a la manera de Goya, con empuje irresistible y con cruda violencia de colorido. (. . .)Echeverría ha bordado un cuadro de costumbres nacionales inolvidable y que por su acento de verdad y su dibujo firme y exacto, merece figurar entre los trozos clásicos de nuestra literatura.

Todo es nuevo, en efecto, en esta narración al trazarla, como al escribir *La Cautiva,* Echeverría ha sentado inconscientemente las bases de un arte literario original, inspirado en el espectáculo de nuestras costumbres, de nuestra naturaleza, de nuestras modalidades sociales. Y esta página admirable de *El Matadero* tiene otro interés para los que aún hemos alcanzado a divisar el espectáculo que describe, en un día lluvioso de faena; un interés histórico y pintoresco que será apreciado cada vez más, a medida que pase el tiempo y que las costumbres que refleja se alejen y se borren, día a día, en los brumosos mirajes del pasado... las páginas de *El Matadero* son de las que, en un país que se encuentra en las condiciones del nuestro, tan destinadas a formar literatura...

> (*Ensayo sobre Echeverría.* 1894).

BIBLIOGRAFÍA CRÍTICA DE ECHEVERRÍA

> (*Especialmente vinculada con* La Cautiva *y* El Matadero).

1. JUAN MARÍA GUTIÉRREZ: *Noticias biográficas y Fragmentos de Estudio.* En *Obras completas* de Echeverría, edición de J. M. Gutiérrez. T. V. 1870 - 1874.

Contiene una biografía circunstanciada del poeta y la valoración y crítica de su obra, junto a la transcripción de juicios de otros autores y noticias de la repercusión de la obra en el país y en Europa. Si bien, en algún aspecto o dato, el estudio de Gutiérrez puede haber sido rectificado por la crítica posterior, sus noticias y su juicio permanecen en todo lo fundamental, de modo que se han convertido en fuente obligada de todos los estudios echeverrianos. Es recomendable su lectura como irreemplazable testimonio documental de época. Gutiérrez —amigo del poeta—, sabe ponderar sus virtudes y sabe también señalar, imparcialmente, sus flojedades.

2. M. MENÉNDEZ Y PELAYO: *Historia de la poesía hispanoamericana*, Consejo Superior de investigaciones científicas. Madrid. 1948. T. II.

Señala el papel de Echeverría como introductor en la Argentina del romanticismo francés, a un tiempo con su introducción en España. Exalta el significado cívico del autor de *Los Consuelos*. Estudia su formación intelectual y literaria; historia su obra; traza un estudio crítico literario de *La Cautiva* y de las otras obras.

3. RICARDO ROJAS: *Historia de la Literatura Argentina*. Kraft. Buenos Aires. 1957.

En el tomo II —Los Gauchescos— señala el entroncamiento de la poesía nativa con la doctrina romántica. Destaca la semejanza entre *La Cautiva* y el *Santos Vega* de Ascasubi, trazando paralelismos de temas y procedimientos; asigna al poema el papel de precedente de los grandes poemas gauchescos y exalta la belleza moral que lo engrandece.

En el tomo V, estudia especialmente *El Matadero*, señalando su papel de fundador de una corriente literaria hispanoamericana.

4. MARTÍN GARCÍA MEROU: *Ensayo sobre Echeverría*. Jackson. Buenos Aires. 1944.

Este ensayo fue publicado en el año 1894. Desde entonces, se ha considerado como documento básico para el estudio de Echeverría. En un vasto plan, ejecutado con vocación, detenimiento, amplitud y sensibilidad, el crítico ubica la obra del autor de *La Cautiva* dentro del proceso de las letras y de la historia argentina precedente —siglo XVIII— y "primeras manifestaciones literarias en el Plata", y frente a "los poetas de la Revolución y de la época de Rivadavia". Traza una documentada biografía de Echeverría y estudia sus ideas políticas y artísticas. En la cuarta parte del libro analiza sus obras. García Merou se muestra consciente de su función de crítico y como tal es ecuánime y responsable, sin falsas concesiones. Sabe señalar con acierto, dentro de la vasta obra literaria que analiza, lo de real valor y separar lo flojo y desigual. Hay páginas especiales dedicadas a *La Cautiva* y a *El Matadero*, en que el crítico acierta en la ubicación de ambas obras, tanto en su valor intrínseco como en su significación histórica.

5. ENRIQUE WILLIAMS ALZAGA: *La pampa en la novela argentina*. Estrada. Buenos Aires. 1955.

La obra tiene el propósito de realizar un examen de las diversas interpretaciones de la pampa, en nuestra narrativa. Echeverría reclamó su inclusión entre los iniciadores, como autor de *La Cautiva* —"elevación de la pampa a categoría estética"— y de *El Matadero* —iniciación realista del cuento argentino.

6. ALBERTO PALCOS: *Historia de Echeverría*. Emecé. Buenos Aires. 1960.

Es una biografía documentada que rectifica y complementa exhaustivamente el estudio de la vida y la obra del poeta. Desde este punto de vista, es el estudio más serio y completo publicado últimamente. Documenta la acción y el pensamiento de Echeverría en relación con los movimientos político-sociales de su época y su vinculación con las grandes figuras de su generación.

De *La Cautiva* señala su función de iniciar la revolución romántica y marcar rumbos a la literatura de Latinoamérica. Destaca los aciertos estilísticos en la descripción de la pampa.

Es un libro fundamental sobre Echeverría.

7. NYDIA LAMARQUE: *Echeverría el poeta*. Buenos Aires. 1951.

Es un estudio entusiasta, por momentos exaltado de todos los aspectos del poeta romántico. Señala el conocimiento que tenía Echeverría de la pampa, recuerda su vida en el campo, afirmando que allí se generó el poema. Es un estudio admirado de la técnica, la composición y los recursos poéticos empleados en *La Cautiva*. Afirma los caracteres cornelianos de la heroína y señala los aciertos estilísticos que contribuyen al efecto poético; sostiene que el poema encierra una simbología trascendente, "como personificación de la patria"; estudia la genial anticipación de Echeverría en la concepción de Hölderlin.

8. ERNESTO MORALES: *Esteban Echeverría*. Claridad. Buenos Aires. 1950.

Estudio de la vida, la obra y especialmente de la ideología y su vinculación en la gestación de la historia inicial del país.

Obra densa, analítica y documentada. Contiene un capítulo especial sobre *El Matadero*.

9. RAFAEL ALBERTO ARRIETA: *Historia de la Literatura Argentina*. Peuser, Buenos Aires. 1958. T. II.

Estudio serio, documentado y renovador de la vida, la obra, la estética y las ideas de Echeverría. Contiene valiosos datos sobre las ediciones y juicios críticos de los contemporáneos del poeta.

10. FERNANDO ALEGRÍA: *Breve historia de la novela hispanoamericana de Andrea*. México. 1959.

Contiene un breve y certero estudio de *El Matadero*, su técnica, su composición, su trascendencia como precursor de la novela de realismo alegórico.

GUÍA DE TRABAJOS PRÁCTICOS

1. Leer detenidamente *El hombre en su obra*, punto a), que forma parte de la *Introducción*, págs. VI y VII, y trasladar ese perfil autobiográfico a un joven de nuestro tiempo. Redactar un retrato, en tercera persona, que reúna los rasgos necesarios para conformar una "actitud de juventud insatisfecha" que implique una posición romántica ante la vida.

2. Buscar los datos biográficos de Víctor Hugo, Alfonso de Lamartine, Alfredo de Musset, Alfredo de Vigny, Carlos A. Sainte-Beuve, Johann W.Goethe, Federico Schiller, Alejandro Manzoni, Walter Scott, lord Byron, Víctor Cousin, Pierre Leroux y Johann G. von Herder, y presentar un informe de cada uno de ellos que contenga las características más salientes de su personalidad y de sus obras representativas. Estimar luego en qué medida ellos han influido en el pensamiento, ideas estéticas y obra de Esteban Echeverría. Conviene realizar este trabajo en forma grupal, de modo que cada equipo de alumnos reúna información acerca de un escritor consultando para cada caso diversas fuentes bibliográficas.

3. Determinar los alcances que puede tener tanto en *La Cautiva* como en *El Matadero* la afirmación de Víctor Hugo que transcribimos, extraída. de su *Prefacio* a *Cromwell*: "La sociedad empieza por cantar lo que sueña, después refiere lo que hace y al fin describe lo que piensa".

4. Puntualizar, con el asesoramiento del profesor de Historia y/o de Filosofía y/o de Educación Cívica, los hechos que en los niveles personal, social, nacional e internacional deben concretarse para mantener vigente la proclama de Echeverría "El espíritu del siglo (...) la originalidad de sus artistas", incluida en *Introducción*, pág. XIII.

La Cautiva

5. Elegir uno de los nueve cantos que integran el poema e ilustrar figurativamente alguno de sus pasajes, o bien representar el contenido total de una de ellas mediante alguna técnica gráfica no figurativa.

6. Analizar, con orientación del profesor de Educación Plástica, *La vuelta del malón,* cuadro de Ángel Della Valle (Museo Nacional de Bellas Artes), reproducido en *Argentina en el Arte,* Vol. I, Nº 4, Viscontea Editora, Buenos Aires, 1966, y otras publicaciones. Luego, relacionar en un informe los aspectos de dicho cuadro que guardan correspondencia con el contenido del poema.

7. Establecer, por medio de un cuadro comparativo, la versificación del canto titulado "La Alborada" en cuanto a métrica y rima. Indicar, además, qué clase de composiciones poéticas ofrece de acuerdo con los tipos de estrofas que presenta.

8. De acuerdo con la advertencia consignada en la Nota 4 de la pág. 29, extraer todos los adjetivos del poema acompañados de los sustantivos de referencia, que expresen "paisaje humanizado, actuante, protagónico en antagonismo con los personajes". Redactar después, con esa base y a manera de punto de partida, una descripción concisa y personal del paisaje escenario del poema.

REDENCIÓN

Mi alma era una choza cerrada a cal y canto.*
Acaso no sabía ni de sol ni de luz,
e ignoraba asimismo del inmenso quebranto
que sufrió en el calvario nuestro hermano Jesús.

Una queja tan honda como un lloro doliente
la abrió luego a la vida como un cáliz en flor.
Y fue un deslumbramiento magnífico y ardiente
a través de esa brecha que le hiciera el dolor.

Y ahora está mi alma abierta a cuatro vientos.
Fue cada sufrimiento una nueva ventana
hacia los dilatados y puros firmamentos.

Era inhospitalaria, insensible y oscura.
Dolor abrió sus puertas y ahora de ella mana
un gran haz de luz clara de infinita dulzura. *

9. Partiendo del contenido de la Octava Parte, titulada "Brian", pág. 49, desde "Y con voz débil le dice:" hasta "raudal vivo de esplendor", seleccionar en las *Coplas* de Jorge Manrique las que guardan semejanza con el tema de la muerte "como inevitable e igualadora de condiciones humanas" y comparar ambos textos.

10. a) Ubicar en el texto los momentos sucesivos del relato, según la clasificación de tópicos que da Noé Jitrik en su ensayo *Forma y significado en "El Matadero"*, incluido en *El fuego de la especie*, Siglo XXI Editores, Buenos Aires, 1971, que transcribimos: 1º) La zona histórica (lo más amplio); 2º) La cuaresma; 3º) La abstinencia de carne; 4º) La Iglesia y sus dictados; 5º) La lluvia; 6º) La consternación de los fieles; 7º) Los unitarios como culpables del desastre; 8º) La falta de carne y sus consecuencias; 9º) El matadero vacío, símbolo de la carencia; 10º) Las disposiciones del gobierno; 11º) La matanza; 12º) El matadero y la descripción del ambiente; 13º) El ofrecimiento del primer novillo al Restaurador; 14º) Los actos característicos y los persona-

---

a cal y canto. Expresión figurada y familiar. Fuertemente.
Mi alma...de infinita dulzura. Obsérvese cómo la imagen abarca toda composición.

jes típicos; 15º) El animal que se resiste; 16º) La cabeza cercenada del nilo; 17º) El inglés que se cae; 18º) El sacrificio del toro; 19º) La llegada del unitario y su retrato (lo más particular).

b) Por otra parte, Jitrik reconoce en el relato los siguientes temas: la Iglesia "como objeto de crítica o sátira sobre todo por sus vinculaciones con el federalismo"; la lluvia "como una promesa de obsesión que se lleva una buena cantidad de descripción"; la Carne "o falta de carne y sus risueñas o ridículas consecuencias"; el Matadero, "de cuya descripción se va destacando su trascendencia simbólica" (el país es un inmenso matadero); los Federales "como sostenedores y representantes de ese medio" y el Restaurador "principal animador de ese 'modo bárbaro con que se ventilan en nuestro país las cuestiones y los derechos individuales y sociales' ".

Una vez ubicados en el texto los momentos sucesivos citados, proponemos puntualizar qué temas cubren los tópicos (y cuáles de éstos), fundamentando con ejemplos todos los casos.

El Matadero

11. Justificar detalladamente la influencia de esta obra de Echeverría en el pasaje de *Criador de palomas* de Gerardo Mario Goloboff, que se transcribe, comparando ambientes y personajes. Dilucidar, además, la actitud de ambos escritores ante lo narrado.

Criador de palomas

Un hermano de Garfinkel, Doble feo, trabajaba en el Matadero Municipal. Era él quien legitimaba la carne para la Comunidad. No creo que fuera Rabino, ni comprendo bien por qué motivos lo habían puesto ahí, dándole la función de santificar lo que comíamos por su sola presencia. Los *goim* decían que tendría una autorización del Vaticano...

Una vez, el tío me llevó a comprar con él. Fuimos a un galpón enorme, con suelo de cemento muy húmedo, dos largas filas de mesas de madera sobre las que había hachas y cuchillos de todos los tamaños, y una radio cuadrada, a todo volumen, que retumbaba chamamés. Cinco o seis hombrones, con cuellos y brazos como pedazos de durmiente, faenaban unas reses, llenándose de sangre hasta los pelos.

Uno de ellos (como decía el tío Negro: "el más chico de los hermanos de Garfinkel") era Doble feo. Medía no menos de dos metros, tenía pelos rojos hasta en las orejas, y en sus espaldas hubiera podido yo jugar a la rayuela. Una cara redonda y colorada como a punto de estallar; ojos azules y saltones que parecía iban a salírsele cada vez que hablaba; labios finitos y mentón en punta completaban el gigantesco cuadro de su humanidad.

Lo primero que se le ocurrió hacer ni bien nos vio fue protestar porque llegábamos.

—¡Qué! ¿Ahora no hay carnicerías en el pueblo?

—No lo tomes así, estábamos de paso...

—¡A buena hora! —refunfuñó Doble feo, teatralizando exageradamente su disgusto.

—Y sí... —dijo el tío—. Es el defecto de querer saludar a los amigos.

Ya Doble feo estaba desarmado, y todo el aspaviento se le fue a los pies. De cualquier modo, como más tarde me explicaría el tío Negro, siempre lo recibía más o menos así.

Casi como para seguir un ritual, todavía agregó:

Es que no tengo tiempo para nada...¿Sabés?

En realidad, si algo sobraba allí era tiempo. No carnearán más de dos o tres veces a la semana, nadie los apuraba y, como empezaban tempranísimo, a mediodía o a lo sumo a la una habían terminado. Lo que en cambio no parecía sobrar era la higiene. El delantal gris de Doble feo era un muestrario de calamidades y aunque el agua corriera por el piso y las mesas, los olores no eran una fragancia de jazmín.

—Bueno, bueno vengan por acá —nos dijo resignado tomando la delantera hacia otra parte del galpón. Éste estaba dividido por unos espesos cortinados de hule azul que iban desde el piso hasta muy alto, y que separaban el cuerpo principal de los colgaderos y de los lavaderos. Observé que nuestro anfitrión rengueaba un poco, pero que así y todo caminaba rápida y enérgicamente sobre sus zuecos de madera calzados en los pies desnudos y mojados. Esa visión me dio algo de frío. La que tuve cuando llegamos a la parte trasera del galpón, me terminó de helar.

Allí había otra larga mesa y, a la altura del techo, un caño del que pendían enganchadas cabeza abajo dos vacas a medio cuerear. Doble feo atrajo una para sí, tomándola de la pata delantera y haciendo que se deslizara por el cordel. La res se sacudió como si aún tuviera vida y echó unos trozos de sangre coagulada. El hombre tomó una cuchilla de la mesa y la clavó con fuerza lo más arriba que pudo, para descender después abriendo hasta la panza. El borbotón de sangre fue ahora enorme y prácticamente lo bañó.

Yo estaba como petrificado, apenas en la entrada. El tío, algo más adentro, no parecía inmutarse. El olor era rancio y penetrante, y la visión de ese rincón cerrado con hule y alumbrado con dos bombillas de sesenta voltios parecía irreal. Palabras, palabras inconexas y precisas asaltaban mi cabeza sin sentido alguno: Álvar Núñez Cabeza de Vaca, Cabeza de Tigre, tigre de llanos, salvaje, leche, vencer, clemencia...y muchas otras. Pensé, en medio de mi fiebre que estaba delirando. Me asustó el poder estar loco. Cerré los ojos fuertemente hasta que me dolieron. Recuerdo que me dije: si sentís el dolor es porque estás normal. Eso consiguió calmarme un poco.

Cuando abrí los ojos y volví a mi sitio, Doble feo lidiaba con las vísceras, y murmuraba cosas incomprensibles entre las que creí entender "nonato". En efecto, riendo como un loco por su descubrimiento, empezó a gritarle al tío Negro que dentro de la vaca había encontrado un ternero sin nacer. El tío se acercó y el otro me hizo señas para que mirara. Yo ni siquiera pude decir que no, aunque lo mismo no me moví ni un milímetro. Pensé en el miedo que deberían tener los animales de aquellos hombres, y me compadecí. De ellos y de mí.

Doble feo, hurgando y removiendo el vientre de esa madre, embadurnado de sangre hasta los rojos pelos, tirado encima de la bestia con el cuchillo buscador, era un repugnante criminal.

El tío Negro me tomó del hombro y me sacó del sitio, seguidos por el chapoteo de los zuecos del carnicero rengo sobre las aguas del cemento. El tío llevaba un paquete de buenas dimensiones envuelto en papel de diario. "No te olvides de dejarla crear", le dijo Doble feo a guisa de despedida.

Yo no podía mirarlo a los ojos, y no lo saludé, cosa de la que no sé si se dio cuenta. Al salir, me pareció mentira que fueran nada más que las diez de la mañana, que hubiera un sol tan alto, caliente y brillante en el cielo, y que el día todo respirara a yuyos y a aire limpio. Al montar y emprender la vuelta al paso, de espaldas a esa casa de la muerte pensé en Dios.

Gerardo Mario Goloboff, *Criador de palomas*.
Narradores argentinos de hoy, Bruguera, Bs. As., 1984.

12. De acuerdo con el trasfondo político del cuento, proyectar comparativamente sobre la situación actual de nuestro país el pensamiento político de Echeverría, incluido en el cap. VIII de la *Ojeada retrospectiva sobre el movimiento intelectual en el Plata desde el año 37* que precede al *Dogma Socialista de la Asociación de Mayo*, Editorial Perrot, Buenos Aires, 1970:

"Es un error grave y funesto, en nuestro entender, imaginarse que el partido unitario y el federal no existen porque el primero perdió el poder y el segundo quedó absorbido en la personalidad de Rosas. Esos partidos no han muerto, ni morirán jamás porque representan dos tendencias legítimas, dos manifestantes necesarias de la vida de nuestro país: el partido federal, el *espíritu de localidad* preocupado y ciego todavía; el partido unitario, el *centralismo*, la *unidad nacional*. Dado el caso que desapareciesen los hombres influyentes de esos partidos, vendrán otros representando las mismas tendencias, que trabajarán para hacerlas predominar como anteriormente y convulsionarán al país para llegar uno y otro al resultado que han obtenido. La lógica de nuestra historia, pues, está pidiendo la existencia de un *partido nuevo,* cuya misión es adoptar lo que haya de legítimo en uno y otro partido, y consagrarse a encontrar la solución pacífica de todos nuestros problemas sociales con la clave de una síntesis alta, más nacional y más completa que la suya, que satisfaciendo todas las necesidades legítimas, las abrace y las *funda en su unidad.*[...]

....

La fórmula única, definitiva, fundamental de nuestra existencia como pueblo libre es: *Mayo, progreso, democracia.''*

13. a) Investigar los orígenes y evolución de ''La resbalosa'', según Echeverría ''tonada de inmensa popularidad entre los federales'', pudiéndose consultar para ello *Danzas y canciones argentinas* de Carlos Vega, Edición del Autor, Buenos Aires, 1936, y *El folklore musical argentino,* de Isabel Aretz, Editorial Ricordi Americana, Buenos Aires, 1942, y ediciones posteriores, entre otras fuentes.
b) Leer cuidadosamente *La Refalosa*, poema de Hilario Ascasubi en *Selección* de Bartolomé Hidalgo e Hilario Ascasubi, Colección GOLU Nº 120, Kapelusz, Buenos Aires, 1976, y cotejar su argumento con la acción descripta en *El Matadero*, tomando nota de los recursos expresivos de una y otra obra literaria.

14. Investigar acerca de la personalidad de doña Encarnación Ezcurra, esposa de Juan Manuel de Rosas, el Restaurador, y determinar en qué acción concreta de ésta se apoya Echeverría para aludir a su ''federal heroísmo en la revolución contra Balcarce''. Consultar, por grupos, diversas fuentes bibliográficas, entre las que sugerimos *Historia de la Nación Argentina* de la Academia Nacional de la Historia dirigida por Ricardo Levene (Volumen VII *Rosas y su época*), Ed. El Ateneo, Buenos Aires, 1962; *Gran Enciclopedia Argentina* de Diego Abad de Santillán, Editorial

Ediar, Buenos Aires, 1958; *Historia Argentina* (Tomo II) de Diego Abad de Santillán, Tipográfica Editora Argentina, Buenos Aires, 1971; *Rosas y su tiempo* de José María Ramos Mejía, Ed. Félix Lajouane y Cía., Buenos Aires, 1907; *La Revolución de los Restauradores,* de Mirta Zaida Lobato, CEDAL, Buenos Aires, 1983.

Reunido el material, cada equipo redactará un informe que expondrá por turno en clase. De la consideración de todos los informes se elaborará una conclusión general que definirá, lo más objetivamente posible, la personalidad de doña Encarnación Ezcurra.

KAPELUSZ EDITORA S.A. dio término a la presente tirada de esta edición en el mes de febrero de 1993 en los Talleres Gráficos D'Aversa e Hijos S.A., Vicente López 318, Quilmes.

KE—0563